憲法改正

司会
宮沢俊義　兼子一
鈴木竹雄　田中二郎
団藤重光　我妻栄

ジュリスト選書　有斐閣

はしがき

日本国民が、現在直面しているもっとも重大な問題として、――少くともそのひとつとして――憲法改正をあげることに、何人も異論はあるまい。単に日本の政治・法体制の根本の方向が、それによって決定されるというだけではなく、降伏というあまりにも高価な犠牲によってかち得られたかに見えた戦後日本の民主主義体制の運命そのものが、それによって決定されるとも考えられるからである。

ところで、この問題を終局的に決定するのは、いうまでもなく、国民である。国民は、まず憲法改正を審議する国会の議員の選挙を通して、ついでは、憲法改正の国民投票への参加により、この問題に結論を与える責任がある。

われわれが、さきに雑誌「ジュリスト」にのせた憲法改正の諸問題に関する座談会の記録を、さらに必要な筆を加えた上、ここに、単行本として公にするのは、これによって、国民の一人一人が憲法改正という重大な問題を正しく理解するための手引きを提供したいと考えたからである。

＊
＊＊

憲法改正が、やかましく論議されるようになったのは、主として、占領がおわってからである。

一九五二年四月、サンフランシスコ平和条約が効力を発した。その年の一〇月、警察予備隊は、発展的に解消して保安隊となり、その軍隊的色彩は、いっそう濃くなった。その翌年の一一月には、アメリカのニクソン副大統領が来て、日本に軍隊否定の憲法を作らせたのは「ミステイク」だった、と言明した。その翌年（一九五四年）には、保安隊はさらに自衛隊にまで生長し、法律は、「自衛隊は、わが国の平和と独立を守り、国の安全を保つため、直接侵略及び間接侵略に対しわが国を防衛することを主たる任務とする」と定めるに至った（自衛隊法三条）。今や立法者は、自衛隊が軍隊の性格を有することをしいて否定しようともしていない。

この間において、平和条約および日米安全保障条約の精神の具体化ともいうべき日米相互防衛援助協定が成立し（一九五四年）、日本政府は、「自国の政治及び経済の安定と矛盾しない範囲でその人力、資源、施設及び一般的経済条件の許す限り自国の防衛力及び自由世界の防衛力の発展及び維持に寄与し、自国の防衛能力の増強に必要となることがあるすべての措置を執る」ことを、アメリカに対して、約束した（八条）。

こういう情勢が、憲法改正論を生んだことは、あまりに自然である。軍隊の性格を有する自衛隊が、憲法にいう「戦力」に該当しない――「戦力なき軍隊」（！）――と説明することがむずかしいとすれば、その合憲性を確保する道は、憲法改正のほかにはない。また、日本政府が、日米相互防衛援助協定で約束した防衛能力増強の義務は、その協定で「各政府がそれぞれ自国の憲法上の規定に従って実施するものとする」(九条)と定めてはいるものの、それにしても、防衛能力を現在以上に「増強」しようとすれば、自衛隊を強化するよりほかはなく、憲法の現在のワクを忠実に守って行くことは、どうしてもむずかしくなる。

*
**

かくて、憲法改正論は、まず再軍備論として生れた。しかし、やがて軍備以外の諸規定についても、改正が主張されるようになり、それらの主張が、日本国憲法は、占領時代に作られたものであり、自主性を欠くから、日本が独立を回復した今日、これを全面的に改めて、「自主」憲法を制定すべきだとの主張によって、さらに補強されるに至り、再軍備のための憲法改正論は、全面的な憲法改正論——いわゆる「自主」憲法制定論——に発展することとなった。

憲法改正論のかような発展に応じて、憲法改正反対論も、左右両社会党を中心として、強くなり、一九五四年以来、「憲法擁護国民連合」の名の下に、各方面の憲法改正反対運動が結集されている。

憲法改正論をはじめに真正面から唱えたのは、改進党であつたが、自由党もしだいにこれに同調し、一九五四年には、両党の憲法調査会は、それぞれ憲法改正の要綱案を発表するに至った。各種の憲法改正論の内容には、多少のちがいはあるが、再軍備を中核とする「自主」憲法制定論である点においては、その根本の方向は、一致している。一九五四年一一月五日附の自由党憲法調査会の日本国憲法改正案要綱案は、かような意味で、現在行われている憲法改正論の基本的志向とその具体的内容を知るためのひとつの典型的な文献と考えられる。

***

われわれ「ジュリスト」同人は、かねて憲法改正論の具体的内容を検討することの必要を感じていたので、右の文献が公にされた機会に、憲法改正論に関する数次の研究的座談会を開き、その記録を一九五五年の年頭の「ジュリスト」（一月一日号および一月一五日号）にのせた。これは、予想外に多くの読者をもつことができた。このことは、この問題に関する国民の関心がいかに強いかを示すものとおもわれる。

憲法改正問題は、その後ますます現実性を強めて来た。自由党や改進党（ないし民主党）の憲法改正論は、自由民主党の成立による戦線の統一とともに、その実現可能性を増したとすら見えるし、それに呼応して、改正反対論も、社会党の統一とともに、いっそうその強度を加えたと見られる。今や、日本全体が憲法改正論と改正反対論との二つの大きな陣営に分れ、あらゆる機会に、両者のあいだに激しい論争が戦われている状態にある。

われわれが、さきの座談会の記録をここに単行本として公にすることにしたのは、まさにかような情勢に促されてのことである。

＊＊＊

この座談会に参加した者は、いうまでもなく、憲法改正の各問題について、それぞれ独自の見解をもっており、それは、各人の発言から容易に知ることができる。しかし、われわれは、ここで、かならずしも各自の意見だけを強く主張し、これを読者に押しつけようとは、考えなかった。われわれの何よりの目的は、参加者各自の専門とする諸分野――公法・民商法・訴訟法・刑事法など――の角度からする照明によって、現に戦われている憲法改正に関する論争の本質とその諸論点を、できるだけ科学的・客観的に、国民の目の前に照らし出すことにあった。

この目的が、はたしてじゅうぶんに達せられているかどうかは、われわれの判断すべきことではないかもしれない。しかし、われわれは、本書が、主権者としての国民にとって、近い将来において、彼らが、なんらかの形で、この問題についての態度決定を迫られるであろう場合のために、決して無益でないことを信じている。

＊＊

憲法改正の諸問題点に関する座談会が、この本の主たる内容であるが、そのほかに、附録として、芦部助教授の筆になる憲法改正問題の概観的解説をのせた。また、参考資料として、自由党の改正案要綱案および各党の改正要綱案の比較対照表をのせた。

芦部助教授ならびに資料の作成に協力して下さった新川正美氏および田中京之介氏のお骨折に対して、厚くお礼を申しあげたい。

一九五六年（昭和三一年）五月

兼子　一
鈴木竹雄
田中二郎
団藤重光
宮沢俊義
我妻　栄

目次

〈座談会〉

憲法改正

――自由党憲法改正案要綱案を中心に――

司会　宮沢俊義

兼子一

鈴木竹雄

田中二郎

団藤重光

我妻栄

目次

一　序　論

宮沢　憲法改正の問題は御承知の通り近年非常にやかましい問題ですが、最近に至ってだんだん煮つまって具体化して来たような形勢が見られます。これについては、いうまでもなく改正論と並んで改正反対論が強く、ことに憲法擁護国民連合の名のもとに全国の憲法改正反対運動が結集されている実情でありますが、他面改正論もなかなか強く、政党では、改進党が早くから憲法改正を強く主張していたのみならず、日本民主党もこれをうたっておりましたし、自由党はかねて吉田総理大臣が憲法は改正しないという言明を繰り返して参ったのにも拘らず、実は同じ方向を目ざしているものと見え、憲法調査会をこしらえて、各方面の人たちの意見を聞いたりして研究を続けました。そしてその自由党の憲法調査会が、一九五四年（昭和二九年）の十一月五日付で日本国憲法改正案要綱案というものを発表しました。それより前に改進党の憲法調査会からもいろいろな具体的な改正案が新聞に発表されていますが、その改進党の意見とこの自由党憲法調査会の意見との間には、それほど根本的の対立があるわけではなく、その主たるねらいは同じものが多いようでして、その同じものがこの自由党憲法調査会の改正案要綱案に表現されているように考えられます。その後、保守合同で成立しました自由民主党とその基礎の上に立つ鳩山内閣は、真正面から憲法改正を主張していますが、その改正の具体的内容も、この自由党の改正案要綱案と同じものですし、さらに又広瀬案の名で伝えられている参議院緑風会方面の改正意見も、ほぼこれと同じようです。すなわち、これまでの改正論におけるポイントのおもなものは全部この要綱案の中に見られるといっていいのではないかと思います。そこで、憲法改正の問題についてお話を伺うには、ひとまずこれを材料にしたら便宜ではないかと思います。

ところで、憲法改正については改正に賛成論、反対論があって、日本全国が二つの陣営にわかれているような実情であります。そのどちらが強いか、これはとうてい正確に判断できませんが、たとえば、一九五四年十一月五日の東京新聞に現われた世論調査によると、憲法改正賛成の意見がだんだん多くなって来たということになっています。そのほかの材料はありませんが、少くとも憲法改正の問題に国民が非常な関心を持っているということはいえると思います。改正すべきか、すべからざるかという根本論から始まるわけですが、直接にその問題にここで入るか、それはしばらく別として、改正するとすれば、こういう意見が出ている、それについて意見を伺う、ということにすると、その意見のうちにおのずから改正賛成、反対という意見も出て来ることになると思いますから、そういうふうにいたしましょうか。

鈴木　賛成論とか反対論とかいいますが、その反対論というのも、具体的には、もし改正がなされるとすれば、第九条の上に大きな変化が起る、また、他の点についてもその改正は逆コース的なものになるということをおそれての話なのでしょうね。

宮沢　そうですね。

鈴木　そうとすれば、その立場からいってもその希望する方に改正するのなら、あながち反対する理由もない筈だと思われますから、事はやはり具体的にいいか、悪いかということを考えて行くほかはないのじゃないでしょうか。

宮沢　そうだろうと思います。結局改正に対する賛否も具体的な内容如何によることですから、改正案として一番有力な意見の具体化として、この改正案要綱案を材料にしてお話を伺うということにいたしましょう。

1　普通の改正の観念で全部書きなおすことはできるか

兼子　自由党のこの要綱案というものによると、非常に細かな点までも改正して、今の憲法を全部書き直すのだというふうな感じがするのですが、それについて誰の意見ですか、あれは占領中の憲法なのだから憲法として無効なのだ、だから改正でなくて新たにつくるのだ、従って全部やり直すのが当然だという趣旨のことがいわれていたようです。普通改正という以上は、条文をいじる程度のことが常識ですのに、このように全部前文から書き直すというふうな形での改正は、ほんとうの改正という観念で割切れるものかという点はどうなのでしょう。

宮沢　その点も、自由党の調査会の案で問題にされていますから、御審議願うことにいたしましょう。

2　「全面改正を要する理由」

宮沢　一般に、今度の憲法改正論の根本の動機として、占領時代にできた憲法であるからこれを改めなければいかぬという点が非常に強調されている。この改正案要綱案でも、日本国憲法が全面改正を要する理由として一、二、三、四、五、六、七といろいろ挙げてありますが、結局「制定の時期が、敗戦による外国軍隊の占領下という異常な状態で国民の自由な意見発表も許されず、ポツダム宣言の『日本国民の自由に表明せる意思』は見られず、したがって同宣言に関する連合国回答にいわゆる『日本国政府の形態は日本国民の自由に表明せる意思により決定せらるべき』状況になかった」ということを強調しています。そこで、今兼子君の言われたような、一体占領時代の憲法というものが果して今日の有効な憲法と見られるであろうかということが、まず問題になるわけです。その点についてはそれは有効でないという意見が一部にはあるようです。その意見によれば、明治憲法は今でも生きているので、ただ占領時代という事実的条件によって押えつけられていたわけである、だから、その事実的な障害が除かれれば、押えられていたゴムまりがふくらんで元通りになるように、同じように当然元に返るべきだから、占領終了後は、明治憲法がその効力を回復して、現に効力をもっているのである。但し今のところ実際上そう取り扱っていないから、ここで何とか措置をとらなければならない。それにはいろいろ方法が考えられるが、まず天皇の詔書——明治憲法復元に関する詔書——というようなものを出してもらって、それに基いてやって行くべきである、というのです。結局これは、実質的には憲法の全面改正論になるでしょうね。とにかく今実際は明治憲法が行われていないことになっていて、その前提の下にあらゆる法律制度ができているのですから、それを否定ないし改正するという以上、結局は憲法全面改正論になる。但しそれは、今の憲法に基く憲法改正ではないという考えだろうと思います。

兼子　それを考えると、例えば憲法の第九条だけを改正するような案を出して、それを国民投票にかけて、それが通ったという場合に、その裏返しとして、あとは全部信任されたというか、国民投票で憲法として効力が是認されたという考え方になるのですか。

宮沢　さあ、そういうふうに考えるかどうか。第九条なんというのは、その考えからいえば、今効力はないのだというんですよ。だから、新しく憲法をつくるといっても、これは実は今の憲法が効力のないことを確認するにすぎないというような議論になるのでしょう。しかし、これにはあまり多くの賛成者はないのじゃないでしょうか。

田中　そうでしょうね。もしその意見によって今度新しく憲法を制定するという場合には、その意見の当然の結果として旧憲法の規定に基く改正手続によるという考え方になるのでしょうね。

宮沢　ならざるを得ないでしょう。とにかく天皇の詔書で明治憲法復元を宣するというところから出発するのですから……

田中　そうしますと、元の帝国議会というものはなくなって新しい国会になっている。今の国会は新憲法に基いたものだから、その議に付したところで意味をなさないということになるでしょうし、どうするつもりですかね。

我妻　いくらなんでも、法律論としては通らないのじゃないですか。ただ気持の上では、いわば明治憲法が効力を持っていて、今度のは無効ともいうべきものだから、全面的改正をすべきだという気持……。

田中　それだけの意味でしょうね。それは大体、自由党の憲法改正案要綱案にしても、改進党の全面改正を考える案にしても同じことでしょう。改正の気持というか心構えというか、それだけのことでしょうね。

我妻 そうでしょうね。

宮沢 実際的には、同じと考えていいでしょうな。さっき兼子君のいった、憲法改正という手続でこういう全部ひっくり返してしまうというようなことが可能であるかという問題にもそれは関連するわけで、そういう批判にこたえるには、今のような議論は一応唱えられる可能性があるでしょうね。しかし、この自由党案は、そういう明治憲法復元という意見ではなくて、今の憲法の改正手続に基いて改正しようというのです。それが占領憲法であるというところから、これを全面的に改正して、ほんとうに国民の自由な意思に基く憲法にするのだ、そういう意味で、むろん今の憲法改正手続によってこういう全面改正は可能だという趣旨だろうと思いますね。

我妻 だから、形式的には一応日本国憲法の存在を認める。しかし、それは実質的にははなはだ不当なものだから、その改正手続に基いて全面的改正をやる。実質的に言えば新しい憲法をつくるということが最も望ましいというのでしょうね。

宮沢 そういう意味でしょう。

3　改正手続を以てしても改正できない限界について

田中　ただ、その場合に、これは一部の人の意見かもしれませんが、現在の憲法の規定の中には、実質的に、憲法改正の手続をもってしても改正することができない条項があるとか、その根本の精神は、改正を許さないという考え方があるわけですね。そういう問題をどう考えるのでしょう。

我妻　それは、日本国憲法はそもそも無効だという説から答えがでてくるわけではないですか。君がいわれたように考えるのは、日本国憲法にも実質的な効力があると前提して、その中に改正し得るものと改正し得ないものがあるということを認めるのでしょう。ところが無効論は実質的にそうした効力を持っているものではないというのでしょう。もっとも、無効論も徹底してはいない。日本国憲法が無効だというなら、現在効力のあるのは明治憲法だけだとして、日本国憲法など全く無視するのかというと、そうではない。いわばデファクトとして認めて行く、改正点の足がかりとする限りでは認めて行く。しかし、改正し得ないような実質的効力を持っているものの存在は認めない。そういうのじゃないですかね。

宮沢　そういう気持でしょうね。

我妻　だから、実質的に考えては、随分ムチャな議論だと思うが、形式的には一応そんな理論も成り立つかもしれない。しかし、とにかく、全面的改正……新たにつくるといってもいいでしょうが、……全面的に改正をするという考え方には、今いわれたように、占領下の憲法だからだめだという気持が非常に強いと思うのですが、反対に擁護するという人はどういう気持か。擁護連合というものの性格はどういう性格ですか。

4　憲法擁護連合の考え方

宮沢　改正論というのは何といっても第九条の改正ということをきっかけとしてでた議論で、改正論の一番の主眼は、軍備を可能ならしめるにあるのですから、その点に反対する意見、つまり再軍備反対という意見は当然憲法改正に反対になるわけです。結局、憲法擁護国民連合の一番のねらいは、そういう再軍備を可能ならしめるような改正を押えること、並びに、その再軍備を促進ないし応援するような、それに関した改正、そういうものを押えようというのがねらいでしょう。だから、さっきも鈴木君が言われたように、ただめちゃくちゃに憲法改正に反対するというわけでなく、内容如何によっては必ずしも理論的には反対するときまったわけではない。しかし、具体的な問題としては、今の憲法改正論というのは再軍備論であるから、それに反対する、こういう気持だろうと思います。

5 中正な立場からの擁護論もある

我妻 擁護連合の性格あるいはその中にいる人たちの思想をよく知りませんが、何か反米的な、あるいはもっと簡単にいうと、非常に左の思想の人だ、左の思想の人だけが新憲法を擁護しているのだ、というように考えている人がありはしませんか。そうだとすると、非常に遺憾だという気がするんですよ。この自由党の案をずっと読んで来ますと、その出発点においては非常な反米思想のようにみえる。占領軍が押しつけたものだとか、日本の事情を知らない二、三の外国人がつくったものだというようなことを言って、はなはだしく反米的態度で出発している。けれども、そのなそうとしている改正の内容は、はなはだしく親米的だといえる。ところが、擁護論者の方は、あたかも反対です。結構な憲法だ、立派な憲法だといって出発する。ところがその結果は、反米、露骨にいえば親ソともいえる。これは妙なことで、結果においてもまずいのではないか。改正反対ないし擁護という立場には、必ずしも、そうした反米、親ソというような思想から来るものばかりではない。もっと中正な立場からくるものがある、ということを国民一般にもっとはっきりさせる必要があるという感じがします。

鈴木 立場がちょうどひっくり返っているような感じですね。本来反米的である人が、憲法に関する限りは、自由党と反対に、アメリカから押しつけられたものでもよいものはよいのだという考えをしているわけですね。

宮沢　その場合に、いいものはいいのじゃないかというふうに考えれば、私は賛成なんですがね。そのときに、憲法改正に反対する人たちが、ともするとこれは無理に押しつけられたものではないといいたがる。自由党や何かの者は、これは押しつけられたものであって、自主独立の憲法ではないということを改正論の理由にするものですから、それに反対して、「これはやはり日本国民の意志に基くものである、押しつけられたものではない」ということを強調しますが、私はそれを強調し過ぎるとかえっておかしいと思う。むろん押しつけられたといっても、程度の問題で、押しつけられたものでも国民の多数が支持することもある。この場合も、おそらく相当に支持があったことは間違いないが、さればといってその制定の手続の上で民意に基いてこしらえたとはいえない。この事実はやはり率直に認めなければいけないと思う。それを全然押しつけられたものではないの、十分日本国民の民意に従ってできたものだの、われわれの作った憲法だから擁護しなければならないの、と論ずるのは、少し政略的過ぎて事実をまげることになり、かえって本来の目的に反するのではないかという気もしますね。

兼子　もっと実質的に擁護をしている人もあるでしょう。最も理想的なものなんだという内容の方からね。

宮沢　そういう人が多いでしょう。けれども、憲法改正を主張する人が、「押しつけられたものだ。」というのは、決して事実無根をいっているのではない。それは率直に認めなければならない。ただ、おしつけられたものだけれども、幸いに非常にいい内容のものだから、このまま維持した方がいいというふうに考えるのなら、筋が通っている。そういう立場に立てば、あのときにほんとうに国民の意思に基くという形の手続で憲法をこしらえたならば、これだけ民主的な憲法はとうていできなかっただろうという意味で、かえって今の憲法の方が、制定の手続は、少しまずかったが、内容はまさっているから、改正すべきでないという意見が出てくるでしょう。

6　今改正することは逆行する危険が大きい

田中　私なども、これから、憲法を改正することにすれば、新しくできる憲法が、規定の上から見ると、形式は整って日本の憲法らしいものになる可能性があると同時に、今の憲法よりもある意味では逆行したような実質をもった憲法になる可能性がある。それによって今の憲法によって得たいろいろのよい点が失われるのではないかということを併せ考慮しますと、今、軽々に手を触れない方がいいのじゃないかという気持がするのです。国情にそわない部分だけをよくして行くということはいいことには違いないのですが、それと同時に、どうかすると、逆コース的な改正論が具体化される可能性が多分にあるのじゃないかと思うのです。こういう点を考えますと、一般的理論的には、憲法も必要に応じて改正してよいとは思うのですが、現在の事情の下における実際論としては、改正論には賛成したくないような気がしますね。

兼子　確かにさっき宮沢さんがいわれたように、改正というのは主として第九条の問題で、ほかの点については別問題ということは、例えば社会党あたりでも憲法裁判所をつくるなどという点については別に論議を拒否するわけではないようなので、改正してもつくった方がいいという人もあるわけでしょうね。だからそうなると、擁護というけれどもある目標を持った擁護なので、それ以外の点は必ずしも絶対に改正反対というわけではないともいえる。

鈴木　擁護連合というものも、そのものずばりでいえば、再軍備反対連合なんですね。

宮沢　そうですね。

我妻　いつか、たしかジュリストの座談会（註　ジュリスト七号八頁「憲法改正と再軍備」）だったと思いますが、そういうことをわれわれの間でいったことがある。

さっき宮沢君が言われたように、この憲法はわれわれの意思に基いているものじゃない。原案をつくったときから、われわれのものではない。初めのうちは秘密にされていた。しかし、今ではすっかりわかっている。文字通り押しつけられたものであるということもわかった。しかし、それをはっきり認めていいじゃないか。そうして今われわれが合理的に考えてこれがけっこうだと考えるなら、それを支持して行くべきだ。さっきだれかいわれたように、あのとき国民の意思に基いて作ったなら、どんなものができたであろうかということも、単に想像ではなく、あの当時日本の側でつくった案を見れば、大体のことはわかるわけでしょう。日本側でつくって発表した案とそれほど違わないものができたに相違ない。それと日本国憲法を比較すれば、日本国憲法の方がはるかに民主的だということをわれわれが認識するなら、それを十分守って行くべきです。制定当時のことに目をおおわなければ日本国憲法を支持し得ないというものではあるまい。そういう意味のことをわれわれの座談会でいったことがあると記憶しています。

これは結論をいってしまうようなことになるかもしれませんが、自由党の人たちがお考えのように、これが占領下に押しつけられたものだといっても、私にいわせれば、この内容は非常にけっこうなものである。これを今けっこうでないと考える人々は、敗戦ということを十分身にしみて考えていないのだと思う。これはあとにもいいますけれども、日本を弱体化するためにつくったものだというようなことを今いうことは、はなはだしく軽卒だと考えます。

田中 私は根本においては、憲法についても不磨の大典というような考え方でなしに、時勢がかわれればそれを直して行くということを考えていいし、この憲法についても、中には、日本の国情に適しないとか、規定そのものとして適当でないというような条項も少くないとは思うのです。

しかし、今軽々に憲法を改正し、しかもその内容がかなり逆コース的になる可能性があるということですと、日本国憲法の下にできた制度が、全般的に、それを契機として動揺することになるだけでなしに、一般国民思想というか、国民感情の上にも、影響が及び、逆コース的な傾向に拍車がかけられるようなことになるのではないかという心配もするのです。

そういう意味で、学問的にこの規定はどうか、こういう条項はどうか、という点を批判し検討することは、必要でもあるし、今後大いにやらなくちゃならないと思うのですが、それでは、それによってすぐに改正にまで持って行くべきかというと、それは少々疑問で、特に、その時期とか方法等については慎重に検討して行かなくちゃならないのじゃないかという感じがするのです。

我妻　その点、この座談会を始める最初に、一つ一つの規定を検討してみた上で、改正する方がいいか悪いかということもおのずからきまるだろうといわれましたが、それはその通りだと思いますけれども、ここでこの改正の時期という問題をはっきりさしておかないと、誤解を生ずるおそれがあるという気がする。

例えば家族制度について憲法第二四条の規定をただ抽象的に見たら不満の点がある。しかし、だから改正した方がいいと簡単にはいえない。あの規定で敗戦後の日本をずっと規律して来て、今それを改正する必要があるのかという問題となると抽象的にみて改正する余地がないかという問題とはおのずから違う。

だからわれわれはこれから具体的な問題に入って行くにしても、最初において、今田中君のいわれたように、現在改正する必要があるのかといえば、それははなはだしく危険だという皆の気持を最初にはっきりさしておく必要がある。

宮沢 皆さんのお話で大体わかりました。要するに憲法というものは、別に不磨の大典でも何でもない、必要に応じていくら改正してもいい……というと言葉が悪いが、理論的にいえば必要があればいくら改正してもいい。そのために改正手続というものが認められているのである。ただ、現在の改正論というのは、具体的な内容を持った改正論なので、その内容に対して賛成するか反対するかで憲法改正に反対か賛成かがわかれてくる。そういう意味からいえば、非常に実際的、戦略的な問題に今なっているわけですね。

憲法擁護という言葉について、私は理論的に言えば擁護というのはおかしいじゃないかといったことがある。憲法の定める正当な手続に従って改正することは少しも憲法に反することではないので、それは憲法を守っていることになる。憲法擁護の反対は憲法の破壊というか、憲法違反を行うことなんだから、ただ憲法改正反対ということを、憲法擁護というのは理論的にはおかしいといったのです。もちろん、今の擁護運動は一つの実践運動ですから、そういう言葉を使って自己の主張を有力ならしめることは、別に非難すべきではない。ただ、それが擁護なら擁護に反対する方は憲法を破壊することになるのじゃないかといったのです。そういうわけで擁護という言葉を使っても少しもさしつかえないが、とにかく今の憲法改正反対論は、具体的な政治的主張であることを十分考えなくてはいけないと思います。

それから今我妻君がいわれたように、改正する、しないといっても、そもそも憲法の規定は永遠に改正すべきものではないとかあるとかいうのが目下の問題ではない。問題は常に、今の段階においてこれこれの内容の改正をすることがいいか悪いかです。そういう立場から、大体今の改正の問題についての今までの御発言になった方々の御意見は、ほぼ同じ方向を向いているように思いますが、そういう前提のもとに、さらに個々の具体的な問題に入りましょうか。

7　国民投票の手続

兼子　ちょっとその前に先ほど申したように、自由党の案のように全部書き直す改正の例は、なるほどほかの国にもある。それを憲法改正という形でやる場合があるでしょうし、現に明治憲法から日本国憲法に移ったときも全面的改正という形になりますけれども、憲法の予定する改正手続によるという場合は、一種の技術的な問題があります。そうすると結局国民投票にかける場合に抱合せになるということの危険があるわけですね、各改正点についてこの点は賛成なのだけれども、この点は反対だ、しかしこっちの点の賛成の方が強いので、仕方がないから、丸のみにしようということが起こるのではないか。

宮沢　それは憲法改正の手続の技術によるわけですが、今のところまだ憲法改正に必要な国民投票の手続がきまっていません。そういう法律をつくるときに問題になる一番の点が、今あなたがいった点です。

どういうような方式で問題を国民投票に附するか、ちがう問題を分けて、その各々についてイエスかノウかを投票させるか、あるいはその全部を一括して聞くかが問題です。そこでもしちがう問題を分けずに一括してやると、抱合せになる。しかも問題を別々に分けることが技術的に容易であるかないか、なかなかむずかしい問題です。

憲法改正を実際行うには、まず憲法改正国民投票法というものをこしらえて、この問題を何とか解決しなくちゃいけない。それが先決問題ですから。それからさらに、国民投票の効力をあとでどういうふうに争訟で争えるかという問題もやはりそこできめなくてはいけないでしょう。

我妻　その問題はあとでまた出て来ると思います。話のついでですが、国民投票の問題だけいうと、全部新しく書いた憲法草案をつくって、国民投票でイエスかノウを問うという方がやりいいと、参議院あたりでは考えているらしい。かえって、第九条をこうかえる、ついでに何条をこうかえるという案だと、第一点には賛成だが、第二点には賛成でないときにどうしていいか、困難になる。

宮沢　ここに今現われているような内容でいうと、兼子君がいった抱合せ的色彩が強くなる。結局この中で問題になるのは再軍備とそれに関連のある問題が一番大きいと思います。その点では今改正することには賛成しないという御意見が強かったようですが、しかしここに挙げてあるほかの個々の点になれば改正した方がいいという問題も随分あると思います。だからいっしょにすると、どうしても抱合せ的になりますね。

田中　実際問題としては、各条項といっても、相互に関連のある条項がたくさんありますから、抱合せ式に国民投票に訴えるほかはないということになりましょうね。

8　二段の改正——改正手続の改正を考えているのではないか

鈴木　しかし、この要綱案はもっと徹底して、憲法改正を二段にやる。まず最初に現在の第九六条によって憲法を改正して、憲法改正に、必らず国民投票を必要とする現在の規定を改め、国会だけで改正できることにし、国会がいわば国民から白紙委任をもらって憲法の全面改正をやった方がいいというような案まで考えているようですね。

田中　まず憲法改正手続そのものを改正して、その上で第二段として憲法の実質的改正をしようというのですか……。

鈴木　憲法の内容的な改正は国会でやろう、国民投票というものではディスカッションもできないし、修正も不可能だから、改正案はデフィニティヴなものとして国民につきつけるということにならざるをえない。それは法案の審議成立については妥当なやり方ではないという考え方でしょうね。

二　自由党憲法調査会要綱案の検討

(1)　全面改正を要する理由について

宮沢　そこで内容に入りましょう。さっき実は触れてしまったのですが、本書一六七ページに「日本国憲法が全面改正を要する理由」というのがありますね。さっきその一部を私が読んだわけですが……どうでしょうか。自由民主党その他の同調者が憲法改正ということを考えるときに、みんなこれと同じ理由を考えているんじゃないかと思うんですが。ここにあげてある一、二、三、四、五、六、七の各項はどれも重要な意見ではないでしょうか。

1　単に「おしつけだから」というのは全面改正の理由にならぬ

田中　確かに日本国憲法は連合国の押しつけたものであり、また、その規定の中には、日本の国情に適しないと思われるものとか、字句の適当でないものとか、全体として翻訳調が非常に強いとかという点はあると思うのです。

しかし、もしそういう点があるとしても、それだけの理由であるとすれば、これを今すぐに改正しなくちゃならないということにもならないのじゃないか、とにかく今まですでに八年余りにわたって行われて来て、これがそれほど不当な結果をもたらしているとはいえないし、若干不都合があったとしても、それは取立てていうほど大したことではなかったのじゃないかと思うのです。また、かりに、こういうことを改正の理由として挙げるにしても、もう少し適当な表現の仕方がなされてしかるべきではないかという感じがするのですが……。

我妻　まさにそうだ。ところで三が非常に理窟っぽく書いてある。

それには、「制定の手続において、帝国憲法改正の形式をとっているが、それは事実に反し、論理にもとり、しかも帝国憲法自体の明文にも違反している」と書いてありますね。「事実に反し」、というのは押しつけられたという意味なのだろうが、「論理にもとり、しかも帝国憲法自体の明文にも違反している。」というのはどういう意味だろう。

宮沢　これはどういうつもりで書いたのかわかりませんが、私どもの解釈としては、明治憲法の改正手続によって今回のような改正は法律的に許されなかったのじゃないか、こういう意味から、今の憲法は形は明治憲法の改正ということになっているけれども、これは明治憲法自身の予想したワクを超える改正だろう。だから「憲法自体の明文にも違反している」、言葉をかえていえば……。

鈴木 明文というのはおかしい。

宮沢 明文というのはおかしいけれども、明治憲法が、例えば天皇主権ということをあれだけ強く根本にうたっている。その明治憲法が、それを否定して国民主権になるということは、少くとも明治憲法の改正手続としては法的には許されないのではないか、この点については、いろいろちがった意見がありますが、こういう意味に解すれば一応理解できるのじゃないですか。

田中 私も、そういうつもりだろうと思うのです。おそらく明治憲法には、憲法改正権の限界というものを予定している。それを無視した改正を行ったのだからいけないという考え方じゃないかと思うのです。

ところで、これから現行の日本国憲法の改正をしようというわけですが、この日本国憲法についても、さきほどもちょっと触れましたが、憲法改正権には限界があるという意見が、一部の学説ではありますが、意見としてあるわけですね。ところが、今度は、こういう考え方は殆ど無視して、根本的な改正をやろうというのですから、いまここに、理由として挙げているところは、そのまま、今度の改正に対する批判にもなるのじゃないかという気がします。

宮沢 前のが違反しているから今度違反してもかまわないという気持があるようですね。

田中　そうかもしれませんね。

兼子　そうでないと矛盾ですよ。ここでいっているように、少くとも天皇主権制には戻さないのだということをいうわけでしょう。そうなれば明治憲法とのつながりもない。明治憲法も死んでいるし、日本国憲法そのものもはっきりした存在でないということになるわけなので、明治憲法が生きているということをいうとすれば、これはおかしいのじゃないか。

鈴木　さっき田中君がいわれた五、六、七に書いてあるのはどっちかというと形式を整えるといったようなものが多いように思われますが、問題は四で、一体今の憲法は日本の弱体化が第一義とされているものなのか。弱体化というのは、その立場で問題にするとすれば、おそらく軍備を持たせないことが弱体化ということになるのだろうが、それ以外に、弱体化というようなことが問題になる点として、どのようなことを考えているのでしょうか。

2　「日本の弱体化」ということの意味

我妻　それはあとでいうつもりだったのですが、家族制度を廃したところに書いてあるのです。家族制度を廃止したのは日本の弱体化をねらったものだと書いてあります。家族制度に関する第二四条自体を見れば、不十分なものがあることは、私ももちろん認める。しかし、それを改めようとするのは、日本国憲法が「家族制度に根本的変革を加えたのは、日本の弱体化という占領政策の線に沿って実行したものだ」というような考えからくるのだとすると、それは甚だ遺憾なことだといわねばならない。

宮沢 弱体化が日本の軍国主義を弱体化するという意味なら弱体化でいいんですね。ここに弱体化というのは、何を弱くするかということがはっきりしていないけれども、無意識的には多かれ少かれ軍事力に基礎づけられた国力を頭に置いているのじゃないのですか。

我妻 なるほど軍国日本の弱体化だというふうに考えることはできるでしょう。しかし裏をひっくり返すと、日本が戦前世界の一等国となったのは、まさに軍国日本のためである、日本はどこまでもそれを維持して行かなくちゃならぬということをいっていることになる。そうだとすると、単に軍備の制限なんということに止まらないことになる。

宮沢 まさにその意味でこの理由が大いに問題になるでしょう。

(2) 前文

宮沢 そこで本書一六〇ページの最初の、前文以下各問題にはいりたいと思います。

申すまでもなく、ここではどこまでも理論的にこの改正意見について批判を加えるわけです。この要綱案は一つの具体的な政治上の意見の表現なので、これについて積極にせよ消極にせよ批判を加えることは、ある意味でそういう改正論を促進する効果をもつ、改正論について世人の注意を喚起することになって、実際には多少応援する結果になるかもしれない、というようなことから、そういうものに触れたくないという気持もありうるかと思いますが、しかし、理論的に批判すること自体は決してわるいことではないし、また逆の効果をもつことも考えられる。さらに改正論についての皆さんの根本の考え方はすでにはっきりのべられているわけですから、その前提のもとに各自の立場から批判していただくことは大いに意味のあることと思います。場合によっては、憲法を今改正するのはいけないと思うけれども、もしどうしても改正するとなれば、この点はこうした方がいいというような、予備的ともいうべき批判もあっていいのじゃないかと思う。こういう趣旨で十分学究的な立場から客観的に冷静に御意見を伺いたいと考えます。

まず前文というところでいろいろ意見が書いてありますが、この辺で何か御意見がありますか。今の前文はいろいろな意味ではじめから非常に問題にはなっていますが、要綱案を見ますと、「前文はポツダム宣言の受取証」であるというような表現がありますが……。

1 「歴史と伝統」

田中　この前文の中で第一に「わが国が独立回復により、わが国の歴史と伝統を尊重し、国民の意思に基き、自主的憲法を確立する旨を明にする。」ということを掲げているのですが、それが、先ほど来お話の過去の歴史とか伝統とかという点を強調することによって軍国日本を思わしめるような印象を与えることになるとすれば、非常に問題だと思います。

どこの国でも、その国の歴史と伝統を重んずることは当然なのですが、日本の場合には、むしろ敗戦によって新しい理想を持って生れかわったというところに意味を認めた方がいいのじゃないか。従って特に「わが国の歴史と伝統を尊重し」というような表現をまっさきに持って来る、そういうような形になることは大いに疑問のあるところではないかという気がするのです。

宮沢　それは、これからあとのいろいろな内容との関連において特に問題になるでしょうね。この案でこういう言葉を第一に出したのも、ただ文字通り、言わば当り前のことを書いたのではなくて、そのあとの内容とにらみ合せるときにそこに意味がある。その点がまさに今田中君が心配された点になるだろうと思います。

兼子　それと同時に、単にそれぞれに盛られる内容と関連があるのみならず、その内容の運用なり解釈が、これを理由にして非常にある方向へ曲げられるということの手がかりになるおそれがありはしないか。

宮沢 それはたしかにその通りです。前文の単なる儀礼的、形式的な言葉も、今兼子君のいった意味で、やはり非常に慎重に考えなくてはいけないでしょう。

鈴木 それと、さっき我妻先生のおっしゃったことですが、敗戦を通して日本国民が新たな出発をして行くということを忘れてしまって、ただ一代前の昔の日本に返って、その上変に民族的気魄が盛られたのでは、これから先の日本の行く手が非常に危いものになってしまうと思うので、前文をどのように書き改めるにしても、現在書かれているような敗戦による反省とそれからの再出発ということを抜きにした前文にしてはいけないと思いますね。

2 平和主義と「安寧秩序」

団藤 この前文を見ていますと、平和主義だとか、世界の平和だとかいうことをさかんにうたっていますね。しかしまた一方では集団防衛体制に参加するというようなことをいっている。そこで平和主義とはいっても、むろん限界のある平和主義である。さっきから話の出ている軍国主義の復活ということもそういう点からも裏づけられている感じがしますね。

それからまた、一方では国民の自由と権利を保障するとか、人権尊重主義を基調とするとかいっていますが、反面においてこの前文だけをみても、国家主義の線が強く打ち出されているという感じを受けますね。なるほど民生の向上だとか福祉国家だとかいうことばもみえていますが、その場合の福祉の意味内容が問題じゃないかと思う。

ここに目につくのは、「社会の安寧」という言葉だとおもいます。安寧というのは安寧秩序ということであって「社会の」という言葉をかぶせてはありますが、実質的には国家の安寧秩序だとおもう。つまり、これは社会的な公共の福祉と違って社会的という名目のもとに国家的な安寧秩序という観念が入って来ているのではないか。

宮沢 その次の「国家の繁栄」という言葉も、そういう意味で問題となるでしょうね。

田中 それもあとの内容と関連して来る問題でしょうが。

我妻 それで、この一、二、三の順序ですが……、一番初めに歴史、伝統、日本国の自主性というふうに出て来る。二番目に、国民の自由とか、人権の尊重ということが出て来て、三番目に国際協力が出て来る。抽象的に考えて、三つのうちのどれを先にすべきかについても、意見はわかれると思います。

しかし、独立国として歴史と伝統をたっとんで自主的の憲法を持つということを第一段に出し、そのつぎにその国の性格は国民主権と国民の自由・人権の尊重だということをいって、最後に国際協力に持って行くという順序は、必ずしも悪くないと思う。だから、抽象的に見れば、この順序でいいだろうと思います。

しかし、さっきから皆さんがいわれ、また私もいったように、改正の時期が問題です。今の日本は、何といっても、国際協力とか、国民の自由、人権の尊重ということに、もっともっと徹底しなくちゃならない。そしてそれを宣言した憲法を与えられているときに、それをひっくり返して、歴史と伝統を一番先に持って来るということに、非常に警戒しなくちゃならない点がある。だから結局、さっきのお話の時期という問題に関係があります。それを離れては、どうも抽象的に議論はできない。しかしそれを繰返していたのでは話が進まないから、そのくらいにして進みましょう。

宮沢　前文は結局あとのそれぞれの規定に関連する問題ですから、次の問題に移りましょう。

(3)　天　皇

宮沢　まず第一に天皇から始めたいと思います。

日本国憲法が天皇に関して根本的な変革を加えたということは、戦後の新しい政治体制の一番大きな問題の一つだろうと思います。

この意見はそれを少し改正しようというのです。これは国民主権という原理はそのまま認める。又それに基いて天皇の地位があるということ、それから天皇が実権を持たない、名目的な権能しか持たないということも認めているのでありますが、その限度内で天皇の権能を大分ふやそうとしている。この点が注目されると思います。天皇の実権には関係がないわけですから、その意味では今とあまりかわりがないとも言えますが、しかしここに現われている考え方の方向というか、においというか、そういうものには、相当問題になる点が多いのではないかという感想を持つのですが、この点どうでしょうか。

1 元首

我妻 具体的にいうと、象徴を改めて元首にする、それから、助言と承認というのを改めて進言とするというような点が取上げられるわけですね。

説明を見ますと、象徴とかいう言葉はぼんやりしてわけがわからぬもので、マッカアサー司令部によって案出されたものだというようなことをいっている。そして、元首というのはわかりいいという。なるほどわかりいい。しかし、それだけ一緒にくっついて来る思想が相当違うという気がする。そうして、明治憲法における元首とは全く違うとしきりにいっているけれども、少くもそうした言葉を持ち出すことによって何か満足させられるものを持っているのじゃないか。

2 進言

我妻 それから、進言するということによって内閣の政治的主体性がより明確になると書いてありますが、これは私にはとうていわからないことです。

田中 むしろ逆じゃないかと思うのです。

我妻 そうですね。進言というのは、殿様のような、向うは絶対的に強いもので、おそるおそる言を進め呈する、相手が果してそれに従うかどうかはわからない。向うはただ単にそれを参考として聞くというだけの場合に使う言葉じゃないですか。助言と承認なら内閣の主体性がかえってはっきりするという気がする。

この辺の説明がどうも、マッカアサー司令部が案出したものだとか、翻訳だとか、はっきりしないといっていますけれども、皮肉にいうと、それはあなた方の頭の中にない観念だからはっきりしないのはあたりまえだといいたい気がする。

田中 私もその点全く同感です。天皇を日本国の元首とするということは、ただ言葉の上だけの問題でなしに、実質上の違いをもっているように思われるのです。ここに、はっきりとは、現われていないのですが、主体性が天皇にあって、内閣はその天皇に進言するという形にかわって来ているのではないか。尤も、天皇は、内閣の進言に基いて憲法に定める行為を行い、内閣がその責任を負うということになっていますが、それはどこの元首の場合でも同じことで、元首自身が責任を負うということはないわけです。明治憲法の場合でも国務大臣が責任を負うということにはなっていたんです。

そこで、主体性がどこにあるかという問題になるわけですが、この要綱案によれば主体は天皇であって、内閣は、天皇に向って進言するという形にとれるのです。それは助言と承認という言葉から受けとる感じとの間に非常な違いがあるのではないかと思います。ことに、天皇の行う行為の中に若干新しいものがつけ加えられていますが、ここにもいろいろ問題があるように思います。

ことに宣戦、講和の布告とか、非常事態宣言及び緊急命令の公布というような行為が入っているのは注意すべきだと思います。もちろん防衛のための戦争とか非常事態というものを予定してではありましょうが、こういうところにも、何だか旧憲法そのものの復活というような感じがします。どこの国にも元首があるのだという考え方はわからないことはないのですが、その意味での元首とか国の代表者というのは、日本の場合には内閣だとか内閣を代表する内閣総理大臣だということで十分なので、今ここに天皇を持って来る必要はないのじゃないか、そういう感じがするのです。

兼子　私も、現在の第一条の文句はアメリカ側の考えたものなのかもしれないけれども、非常にうまい表現であると思います。この要綱案のようなことになると、元首という地位は憲法にとつて先験的なものであって、国民の総意に基くということはこれにかからないとも読まれるわけだ。ただ代表するということだけが国民の総意に基くという趣旨になりはしないかと思うのです。

田中　用語の問題という点からしましても、助言と承認という言葉は、今でもなお、もう一つぴったりしない感じはしますが、象徴という言葉は、もう現在では一般には非常にわかりいい観念になって来ていると思うのです。法律的にそれを説明せよといわれると、説明の仕方は非常にむずかしいにしても、気持の上では、国民一般についていつても、恐らくむしろ親しみ易いわかりいい言葉になっているので、案外自民党の憲法調査会の人々だけにわかりにくい言葉かもしれないんですね。

（笑声）

宮沢　終戦後天皇制に関する問題がやかましくなったときに、一方において昔のような天皇制を支持する意見と、他方において天皇制を全然やめてしまえという意見が対立した。今日でも対立しているのですが、象徴というわかったようなわからないような言葉で、象徴天皇制というもので、一応現在のところは天皇制の問題については、右の対立ないし論争が、休戦状態になっているわけです。それは両方の陣営からいって不満ではあるけれども、ともかくひとまず休戦状態にある。

そこへ自由党がこういう意見を出すということは、いわば寝ている子を起こすようなもので、実際政策として、ことに自由民主党的な天皇制の立場からいっても、あまり賢明なやり方ではないのじゃないかという気がしますね。

我妻　それではかえって、天皇制廃止論が盛んに起きて来ますよ。

3　宣戦講和と非常事態宣言

鈴木　天皇の権限としてずっと条項を並べてる中で、ショックを受けるのは、何といっても、三の宣戦、講和の布告と、四の非常事態宣言だと思います。かりに再軍備的なものをやるにしても、通常の事態において天皇の権限に属するものとこういうものとを並べるのは、非常におかしなことではないか。単に技術的に考えてみても、宣戦をするのは、もちろん防衛のためにやるという特別の場合なので、ここにはめ込まないで、やはり別のチャプターを起して、そこで規定すべきものではないか。

4　認　証

宮沢　もう一つは、今度の憲法で認証という制度ができて、条約の批准とか、官吏の任免、大公使の信任状の授与ということに関しては、その行為自体ではなくて、認証が天皇の権能だということになっているのですが、この案は大体それをやめるようですね。認証というのは全部やめる……。

我妻　いや、「憲法改正の発議に天皇の 認証を要するものとする」といっている。そこだけは残っている。

宮沢　そこだけはある。

田中　この認証という言葉ですが、できたときには確かに親しみにくい言葉ではあったのでしょう、しかし、現在では憲法だけでなしにいろいろな法律の中に認証という言葉を使っていて、ある程度みんなに耳なれた言葉になっているのではないかと思うのです。そして行為自体は内閣の責任のもとにするのだ、天皇はそれを認証するだけだという形をとることに、やはり実質的な意味があるのじゃないか。これは単に形式的、儀礼的な行為だとはいいながら、任命状とか信任状という形で天皇の名においてそれを出すということになりますと、実質的に主体性がかわるわけではなくても、印象的には主体がかわって来るという感じを与えることになり、やはり天皇制の復活を思わしめるものがあるのではないかという気がします。

単に言葉だけの問題ではなくて、実質にまで影響するおそれがあるように思うのです。私は、認証という言葉を今では一般に知られた言葉としてそのまま維持して何らさしつかえないのじゃないかと思います。

我妻 認証官というと非常にありがたいことになる（笑声）。

兼子 この五の、問題になった憲法の発議に天皇の認証を要するという場合の憲法改正手続は、どういうものをいうのか。やはり今の国民投票を予定しての話ですか。

宮沢 そうでしょうね。やはり改正の発議といえば、国会がやるのが発議で、それに……。

我妻 要綱案の方では、「発議権を内閣にも認めることとし」、とある。その発議をするときに天皇の認証をしてもらうのではないかね。

宮沢 その内閣の発案にも認証を要するという趣旨ですかね。

田中 国会が発議する場合はどうなんでしょう。やはり認証を要するという考え方ではないでしょうか。

鈴木 やはり欽定憲法的な考え方なのだろう。少くとも形の上では天皇から出て来るという……。

兼子 そういう意味においては国民の総意によって国を代表する行為だというふうに考えると、それを主権者である国民が国民投票で最後的にきめるのに、それを更に天皇が認証するなんということをいう必要があるかが問題だ。

我妻 そうなんです。それで今問題になっている憲法改正の場合の認証はどういう具体的手続になるかははっきりしないのですけれども、説明の方では、「憲法改正においても天皇の行為は明らかにされるべきである」と書いています。つまり、元首といった以上は、条約の批准、宣戦、講和の布告から憲法改正についても関与しなくちゃならないという説明なんですよ。初めの方では何ら権能のあるものではないといっておきながら、しかし元首である以上はこういうことには関与しなくちゃならないという考えになっている。前の方は理論的に制限して説明したけれども、終りの方の実体に至っては、自分の気持がおのずから現われているという感じがする。

兼子　その点は、現行法のように憲法改正の公布を天皇の行為とするというならわかる。国民投票できまった結果ですからそれを代表的に表わすのだというならわかると思いますが……。

5　対外関係における天皇の地位と慣行

宮沢　その認証という点で私がかねて気にしているのはその方式なんです。憲法ができたとき、認証はどういう方式でやるかと聞いたら、任命の場合は、その辞令のおわりに、「右認証する」御名御璽とする、ということでした。ところが、実際の例では、「右認証する」とも何とも書かず、任命者の署名の後に、大きく御名御璽がある。だから天皇が任命したかのようにも見える。ことに対外関係の文書では、非常に天皇の主体性が強調されていて、ちょっと見ると明治憲法時代のものと変っていない。

たとえば、全権委任状を見ると、「日本国天皇裕仁はこの書を見る各位に宣示する」という書出しで、どこまでも天皇の発した文書という体裁になっている。もっともよく読むとその次に「日本国政府は全権委員として××を任命し……」とあり、おわりに「ここに、日本国憲法の規定に従い、これを認証し、その証拠として、親しく名を署し、璽を鈐せしめる」とあり、法律的にはまちがいはないが、全体の文章の主格は、天皇であり、あたかも天皇が全権委任状を発したかの如き外観を呈している。しかも、そういう外観を与えるために、意識的にこういう方式をこしらえたと考えられる。天皇はただ認証しただけだといいながら、天皇の名において発しているような形をとっているから受け取る方から見れば、天皇がその主体だという感じが与えられる。

伝えられるところによると、こういう方式をこしらえたのは、対外関係において、なるべく天皇の権威を傷つけないようにという配慮にもとづくのだそうです。対外的にこういう態度をとると、先方もそれに応じて、しだいに天皇に主体性をみとめる傾向になる。向うには日本の天皇の性質が分りにくい。元首でもなければ、君主ともいえない天皇の地位を彼らは正しく理解しないから、今までの習慣から大体天皇を君主もしくは元首であるかのごとく取り扱う傾きがある。それをこちらでは決して否認しないどころか、むしろ先方がそういう誤解をするのを誘う、又は少くとも歓迎するような態度に出る。これは大いに問題とおもいます。

結局私が心配しているのは、今の天皇は法律的に元首でないのに、対外関係の実際には元首らしく、君主らしく取り扱われるような既成事実ができる恐れはないか、です。もう少し皮肉に、意地悪く考えると、日本の政府なり保守政党なりの首脳部が、対外関係においてそういう既成事実をこしらえておいて、それに基いて、こういうわけなんだから、天皇の地位をもう少し強化しないと外国に対してもかっこうがつかないというようなことをいい出すんじゃないか、と心配になるのです。

我妻　内閣の助言と承認とによって大使に信任状を与えるという書き方をするのかね。

宮沢　いや、信任状を与えるとは書かない。政府がある人を大使に任命し、ある国に派遣するのを天皇が認証すると書いてある。だから法律形式的にはかならずしも間違ったことが書いてあるのではない。しかし信任状は、天皇が作成する文書という形になっており、したがって、認証者が信任状の発行者であるかのような体裁になっている。そこがおかしい。

我妻　卒業証書をくれるときに総長が学部長の助言と承認によって卒業証書を渡すという行為に近いね。

宮沢　卒業証書はそもそも総長（学長）が授与するものだが、信任状や全権委任状は、天皇の発するものではない。

我妻　ところがそれに近い……。

宮沢　むしろ天皇が「天祐を保有し、万世一系の皇祖を践める日本国天皇は、……」という昔の形に非常に近いんですよ。

鈴木　対外関係はどういうふうにしたらいいのか。

宮沢　対外関係は実際にはむずかしいでしょうね。外国に日本の天皇のような例がないから……。

鈴木　ことに外国の方から日本に対する場合には、外国としては、天皇の特殊な地位をそう考えないで、とにかく普通にある筋のどれかに入れて来るので……。

宮沢　向うは元首的に扱っているようです。しかもこちらには、天皇の権能に大公使を接受するというのがある。法律的にいえば、本当の接受者とは、向うの元首からの信任状の宛名になる人をいうのでしょうが、日本の憲法では、その宛名は内閣であって、天皇ではない。天皇は、実際上儀礼的に応接するというだけなんでしょうが、実際には、外国から信任状を持って来る人も、天皇に会って信任状を捧呈しないと、信任状を出したような気持にならないかもしれない。

だから、外国から見ると、天皇がどうしても君主のようなものに見える。そういうところから、だんだん元首的あるいは君主的現実が少くとも対外関係において育ちつつあるということがいえると思うのです。

我妻 信任状は、向うから持って来たときに、だれがしまっておくのか。

宮沢 しまっておくのは内閣でしょうね。

我妻 天皇が受取ってしまっておくわけではないか。

宮沢 そうじゃない。内閣宛なんだから……。

田中 実際の慣行がかりにそういうふうになっているなら、それはそれでいいでしょう。それが別に現行憲法に照らして違憲というわけでもないでしょうから。信任状は内閣が出し、天皇がこれを認証する、その形を外国に対する関係では若干モディファイしているわけですが。

我妻 小さく書くべきやつを大きく書いた。……

田中 そして向うから来る場合には、儀礼的には天皇が接受する。信任状の宛名は内閣で内閣が受領する。そういう慣行はそのままでもいいのですが、ただその点をはっきりさせるために憲法を改正することによって何か天皇が対外的な関係だけでなしに、同時に、国内的な関係についてまで元首としていろいろな権能を持つということになるところに問題があるのじゃないかと思うのです。

鈴木 単なる言葉の問題ですが、天皇に主体性がない以上、助言という言葉は少し変じゃないですかね。

さきほど問題になった進言という言葉が悪いのはもちろん、助言という言葉も、決定するのは天皇で、それを助言するということになりはしないか。すぐ後に承認という言葉があるので、どうにかならないではないが、本来からいうと、助言と承認という言葉は矛盾する言葉だと思いますね。

6 憲法における天皇の章の置き場所

兼子 それから私の考えでは現在の憲法でも明治憲法の形を踏襲して天皇の章がまっ先に来ているけれども、本来国民主権を徹底するためには、主権者の資格としてどういうものが日本の国民であるか、そういう意味において第十条の規定をもう少し血統主義をとるとか、帰化の要件とかを明らかにしたものを最初に持って来るべきではないか。そうして象徴天皇というものは国の機関であるかどうかは議論のあるところだけれども、もし持って来るとすれば、国会の前あたりにまとめて持って来るという方が論理的ではないかと思う。しかしその方向は、自由党案の意図するところから言えば全く正反対な改正ということになるかも知れませんがね。

我妻 制定のときにも非常に問題になったんですね。

宮沢 最初に総則を設けて、そこに国民の主権とか、戦争放棄などを定めた方がいいという意見もあった。それからあとに天皇の規定を設ける。

兼子　だから、国民のところに行くわけですけれども、「国民たる要件は法律の定めるところによる」というだけでは、実は足りないのじゃないかと思う。やはり法律で定めるにしてもその基本主義としての血統主義をとるとか、そういうふうなこと……。

宮沢　国民の皇位継承法だね（笑声）。国籍法を憲法に昇格させる……。

兼子　当時は、講和のときに日本にいる朝鮮人や台湾人をどうするかということで留保されていたから、そういう地位をはっきりきめられない事情もあったと思うが。

田中　いつか私たちの憲法研究会でこの問題を議論しましたときに、今兼子君のいわれたように、第一章総則というものを置いて、ここに憲法の基本原理を明示してはどうか、そして、この中に国民主権主義とか、恒久平和主義とか、基本的人権尊重主義とかを明確にし、場合によっては国民とか国土とか国旗とかに関する規定もここに置いてはどうか、という意見が多数の意見であったと思います（法学協会雑誌六七巻一号参照）。

7　女子の天皇を認めるということ

我妻　それからつけ足りと書いてあるけれども、女子の天皇を認めるものとするというのは、どういう思想から出て来たものですかね。

宮沢　それはやはり一方において男女同権というような気持を幾らか表わそうというのと、それから今度の憲法の天皇はあえて男子に限る必要はないというようなところから来たのでしょうね。

鈴木　具体的にはイギリスの女王から思いついた考えなのかもしれませんね。

兼子　非常に世界的にも人気があるのでこれも悪くはないなというので……（笑声）。

我妻　しかし、いわゆる天皇を元首にして行こうという思想の中には、女子の天皇は排する思想が多いのではないかな。

鈴木　昔流に考えれば……。

我妻　何かここで妙に男女平等という新しい思想に迎合しているように見える……、そう見るのは、少し腹をさぐり過ぎるかな……。

兼子　それから保守党としてはこういう点で婦人の人気を得て得票も集めようという…（笑声）。

我妻　そこまで考えなくても、家族制度復活では婦人が極力反対しているのだから、決して自分たちは婦人の地位を軽蔑しているのではないということを示す気持がありはしないか。

宮沢　多少はあるかもしれない。

我妻　ただし皇男子なき場合に、といっているのだね。

兼子　だから結局できる限り男系を尊重するということでしょう。

(4) 国の安全と防衛

宮沢 天皇の問題は重大な問題ですから、なおいろいろありますが、時間の関係で急ぎましょう。次は「国の安全と防衛」、第九条の問題で、改正論の根本の問題です。ですから、一番大きな問題であるが、同時にまた従来大体の方向としては相当に議論をし尽された点でもあるといえる。この問題について、ここにはいろいろ具体的に方針が書いてありますから、それについて御意見を伺いたいと思います。

そもそも軍隊を置くことが今いいか悪いかの問題は、おそらくここであまり議論にならないと思いますので、ここに現われた具体案についてひとつ御批判を願った方がいいのではないかと思います。根本論でもむろんけっこうです。これは結局、そのあとに出て来る国防に協力する国民の義務というもの、それから非常事態の宣言、戒厳……そういうこと、それからさっきの前文にあった「一切の侵略戦争を放棄し、他国民の自由に干渉することなく、国際法規を遵守し、互恵平等を条件として国際的平和の組織並に集団防衛体制に参加する」というのなどと、すべて関連した規定ですね。

1 かりに軍備をもつならばそれを濫用されない制限規定がなければならぬのではないか

田中 その基本的な問題について、ここでも一応は論じておいた方がよいのではないかと思うのです。

現在の国際関係において軍備をもたない国として独立の平和な存立が許されるならば、それは国民として最も喜ばしいわけですが、現在の国際関係からいって、どうしてもそういうことが許されず、何らかの形でそういうものが必要だということを前提にして、憲法上、それをどういう形に現わすかという問題が一つの問題だと思うのです。

先ほどお話のあった天皇の行為の中に、宣戦、講和の布告というような言葉が入って来ると、何か当然に、戦争というものを予定している、という感じを与えます。そういう感じを与えるだけでも非常に問題だと思うのです。軍備のことについては積極的に規定を設けなくとも、そういうものは事実どこの国にもあるのですから、軍備放棄の規定を除きさえすればよいわけです。むしろ、規定を設けるとすれば、これまで軍備があると、自然、自衛の名において戦争をおっぱじめてしまうような危険性があるわけですから、その危険性をなくするためのあらゆる角度からの制限規定を置くほうがよいのではないかと思うのですが。

2 非常事態の特例規定は危険

田中 それから軍に関する事項として、軍の最高指揮権が内閣を代表して内閣総理大臣に属するということは、当然のことと考えてよいと思います。ただそれに関連して、要綱案には、国防会議とか、宣戦の布告とか、非常事態の宣言とか、軍事特別裁判所とか、軍人の権利義務の特例というような点についての最小限の規定を設けるということが挙げられておりますし、戦争または非常事態下における国民の権利義務の特例に関することについても別途考慮するというようなことが掲げられております。その一つ一つが非常に問題だと思うのです。

そのうち非常事態についてみますと、非常事態というようなものが全く予想されないわけではないにしても、従来その非常事態の措置として、緊急勅令とか、ドイツのいわゆるノートフェルオルドヌングスレヒトとかというようなものが認められている場合には、それがこれまでいろいろ濫用されて来たという過去の経験にかんがみますと、これまで非常に困難な八年間においてさえそれを実際に必要とするような事態は起きなかったわけですから、それはそのときの問題として考えればいいので、非常に濫用されやすいことを知りながらそれに関する規定を設けること自体に問題があるのではないかと思うのです。従って非常事態を予想してその場合の規定を設けることそのことも非常に問題ですし、特にそういう場合における国民の権利、義務に関する特例規定を設けるというような考え方そのものの中に、何かそういう事態を今から予定して実際にはそれほどに至らない場合にも、それらの規定を根拠として権力の濫用がなされる危険性があるのではないかという心配をするわけです。

ですから、かりに、憲法に国の安全と防衛という章を設けて、何らかの規定を置く場合にも、軍隊は、国力に応ずる最小限度を超えてはならないこと及び軍隊が行動し得る場合の制限及び手続を、むしろ明確に規定しておくということに重点を置いて考えて行く必要があるのじゃないかと思うのです。そもそもこういう新らしい章を設けるかどうかが問題でしょうが。

3 事後の免責立法

兼子 非常の場合は、あとになって国民がその結果をジャスティファイする、免責するというような特別法を出せばいい。あらかじめ備えて、こういう権限を政府に与えるとかいうようなことを規定するよりも万一起ったら、国家としてやむを得ないことだということで事後的に、責任免除法みたいなものを出したり、政治責任も追究しないというようなことを国会が決議するなりなんかで行えばいいと思う。

田中 英米等の諸国の憲法には非常事態に関する規定は一般にはないように思うのです。しかし実際政治の上では運用よろしきを得て、何度かの戦争にも十分に対処して来ているわけです。

これに反して、非常事態に関する規定を設けているヨーロッパ大陸諸国では、この規定がしばしば濫用された、そういう点を考えますと、日本の将来においても、政治の運用よろしきを得さえすれば、そういう事態にも十分に対処し得る道はあるし、常識的にそれを解決して行く方法は幾らもあるのじゃないかと思うのです。

鈴木　つまり形式的に適憲でやって行こうとすると、実質的に弊害が生ずるおそれがあるから、形式的には違憲になっても、それは実質的に解決すればよい、そういう考え方ですね。

兼子　ええ。

田中　それを正面から認めると、日本ではかえって濫用されるおそれがある、それが心配なんです……。

宮沢　あとで場合によったら免責法というような形で行くということは考えられるけれども、しかし一応原則のままでどうにかやって行かれるはずだからできるだけそれで行こう、そういうことですが、軍隊をかりに設けるとしても、この原則で行くべきだ……こういう意味ですね。

田中　そうです。

宮沢　ちょうどイギリスあたりで、軍隊はあるが、しかし戒厳というような制度は必ずしも確立されていないというのと同じ気持ですね。

田中　そうです。

4 再軍備の時期と方法は問題

我妻 改正の時期という問題を一応抜きにして話をすすめるといったけれども、この問題こそ時期を考えないでは議論できないので……。

宮沢 時期を抜かすとはいわないんだよ。

我妻 いや、それは一応抜きにして個々の問題について話をすすめようといったろう……。

宮沢 いや、時期は重要だとさっきいった……。

我妻 とにかくですね……。時期ということを離れて抽象的にいって、独立国でありながら防衛の戦力を持たないということはあり得るか、とか、今日の世界情勢ではそういうことはあり得るかというように、抽象的に議論したら、あるいはここに書いてあるようなことは正しいかもしれない。遺憾ながら今の国際情勢では……。

しかし田中君がいわれたように、今日本で、この草案が考えているほど戦争ということに関して十全の規定を備える必要があるかということが非常な問題だ……。

宮沢 この点で現在までに多くの人によって軍隊と見られている自衛隊というものがとにかくデファクトに存在するという事実ですね。それが相当な予算を使って、相当にやっているというのが現実だ。そこで、ある見方からすれば、ここまで来ているのだから、いわばおなかが大きくなっているのだから、正面から認めて、そしてそれを必要に応じて制約した方がいいのじゃないかということになるが、これは大いに問題だ……。

鈴木　この案では、第九条の第一項もとってしまうという考え方ですか。

我妻　いや、第二項をとったのと幾らも違わなくなる。

鈴木　しかし前文に移してしまって、第九条自身は全然削除してしまおうというのでしょう。

我妻　総則に一章を設けて、国家の安全と防衛に関する規定を置く。しかし、その内容は実質的には現在の第九条の第二項削除と大した差異がないといっている。そしてあの条文は高柳賢三さんがパリーの国際比較法学会に出席して紹介したときに、世界の法学者のもの笑いになったそうだが、独立国となった以上、世界のもの笑いの種になるような規定を置くわけにはゆかぬ、といっています。しかし高柳さんの話は私も新聞で読みましたが、もう少しよく聞いてみないと、笑ったということも、自由党が解釈した意味であるかどうか、ちょっと疑問のように思う。

鈴木　しかしこのところに、「戦争放棄は前文中に宣明するとともに」と書いてあるので、戦争放棄自体は前文の方へ持って行って、そこに第九条の第一項の趣旨を現わしておこうという意味じゃないかと思われるんですがね。

田中　そうでしょう、方法としては。

我妻　いや、『国の安全と防衛』に関する一章を設け、戦争放棄は前文中に宣明するとともに、国力に応じた最小限度の軍隊を設置し得るものとする」というのですから、一章を設けて国家の安全と防衛というものを規定して置くんですよ。だから、前文で戦争放棄するのは、侵略的戦争だけについての戦争放棄……。

5　第九条第一項は削るべきではない

鈴木　かりにそういう方向を辿るにしたところで、第九条の第一項を憲法の条文から捨てるべきではないと思う。やはり侵略戦争は放棄する、陸海軍を置いても、それは侵略に対抗する戦争のためのものだということを規定して、それから出発して行くのでないと、途方もないことになってしまうのじゃないかという気がする。そして国際的に与える影響もよくないと思うのです。

田中　ですから、第九条の第一項を前文に移してしまう必要はない。前文は今までの前文に現われている思想をうたいながら第九条の第一項をそのまま残して、第二項に若干の手を入れると同時に、さらにその発動については、厳重な制約を設けるという考慮をして行けばいいのではないかと思います。

我妻　私もそう思います。

鈴木　そうして発動のみならず、その規模もそういう意味の規模でしかあり得ないという制約を明らかにすべきですね。

田中　最小限度という意味でね。

我妻　だから今あなたがいわれたように、最小限度の国土防衛のためのものを置くということをはっきりさせるためには、それが最小限度のものだということを、同じ条文、あるいはそのすぐ前の条文にはっきりさしておく必要がある。それを切り離して前文に持って行くと、その制約が非常に弱くなる。おっしゃる通りでしょうね。ですから、この説明に書いてあるように、実質的には第九条第二項の削除と差異がないといっているけれども、そうはなかなかならぬだろうと思う。

兼子　最小限度の再軍備を可能にする憲法改正ということを考えた場合に、第九条の二項を改正するだけで、前文をいじらなくても論理的には差支えないといえますかね。前文にいっている平和主義と第九条第二項との関係、第二項に相当するものをなくせば、今の前文はいじらなくても軍隊を置くことだけはできるということになるかならないか。

鈴木　再軍備といっても最小限度のものしか認めない以上、前文の平和主義は限定的な平和主義にしない方がいいのじゃないか。

兼子　だけど、前文にはそれほどはっきり戦力保持というところまでは出ていない。だから第九条の第二項だけを落せば、少くとも戦力保持は差支えないというふうにも読める。

田中　一応そういえるでしょう。私は前文の精神はそのままに生かし、第九条の第一項もそのまま生かして——文字は若干書き直すにしても、この精神は生かして、——その第二項を落してしまうのではなくて、ここに最小限度のものしか置けないのだという趣旨を表わして行った方がいいのじゃないかと思う。

兼子　そうすれば、例えばかりに軍の統帥とか組織とかいうような問題が必要だとすれば、それはむしろあとに譲るということなんだね。ここへ置かない。あるいは軍隊というものを別なところへ……。少くともこの部分に一緒に置くのはおかしいのじゃないか。

田中　ここへ置く必要はないですね。

宮沢　軍隊を少しでも置くということになると、当然に関連する問題は、軍事特別裁判所とか、軍人の身分とか、そういう問題になるでしょう。それからもう一つは徴兵の問題。

この案では、兵役の義務というものは、戦争の惨禍の記憶のなおなまなましい今日、国民の感情を考慮してのことでしょう、認めていない。そこで、志願兵の制度を建前として、「国防に協力する義務」という程度の規定にとどめた、という説明です。

6 現在の自衛隊をそのまま認めるか

宮沢 それからさっき私がちょっといった問題。今ある自衛隊は軍隊だか何だか知らないが、これについての問題は、今の御意見だと、仕方がない、そういう現実になっているということで、そのままにしておくよりほか仕方がないが、現実があるからといって、憲法を改正してそれを表から認めるべきではない、そういう御意見の様子ですね。

田中 私は必ずしも現在の自衛隊をそのまま、あるいは今後だんだん拡大強化して行こうとする傾向をそのままに是認するつもりはないのです。

かりに軍隊を設ける場合に、何がいまいう最小限度といえるかという点で、やはり問題があると思います。日本の国力から見て、自衛隊の現在の状態が適当なものといえるかどうか、ことにそれを今後強化して行こうとする傾向があるわけですが、それが一体日本の国力に相応するものといえるかどうか、非常に問題だと思うのです。

我妻 それもさっきいったジュリストの座談会で話をしたよ（前掲七号一一頁―一二頁）。そのときにたしかこういうことをいった。諸般の国際情勢を考えて、常識でいう警察よりも少し大きくなるくらいまでは認めなくちゃならぬかもしれない。しかしこの辺がギリギリの限界で、この辺からもっと大きくなったら憲法違反だ……と。そしてそれは大分前の話で……。

宮沢 警察予備隊のころ……。

我妻 それから後にも大きくなっているんですよ。だからあのときの気持……現在も全く同じ気持だと思うが、現在まで来ては違憲だという感じがすこぶる強い。

田中 現行法のもとにおいては、明らかに違憲だと思うのです。

そこで、憲法改正をして、ある程度の軍備を認めるということにする場合に、無制約に認めるか、それとも限度を定めるかが問題でしょう。現在の量が国力に相応する適当なものなのかどうか、それをより拡張して行こうとするのが適当であるかどうかという点についてはいろいろ疑問を持たざるを得ないのです。

我妻 宮沢君は、それだけ大きくなったのだから、正面から認めて、然る上ではっきりコントロールした方がいいか、こういうふうに話を持ち出されたのだが、正面から認めてみたところで、コントロールすることができるかどうかは疑問だね。

宮沢 だから、さっきのぼくの問題に対する皆さんの御意見は、おそらくそうやったからといって押えられるわけでもないから、今の現実は憲法上はなはだよくないけれども、だからといって憲法を改正して表から認めろということにはならないというわけですね。

鈴木　さっきの非常事態に関する議論とちょっと似たところがある……。

兼子　それと、ある意味においては、こういう問題は違憲であるかどうかは主権者である国民の直接の判断にまかすのだ。裁判所へ持ち出して違憲だからやめろというようなことは筋ではないから、結局選挙の結果によって自衛隊を拡張しようという主張をする政党が多数を得れば、国民が暗黙には大目に見るという態度をとるのだから、……。

宮沢　それも一つの考え方……。

田中　それから最小限度の軍備を認めるということをいっても、何が最小限度であるのかわからないわけです。そこに何か限界とか標準というものを考えるとすると、自衛隊の予算は、国全体の予算の何パーセントを超えてはならないというような制限は、一つの制限の仕方としては考えられるわけですが。

(5)　国民の権利義務 ―基本的人権―

宮沢　まだいろいろ御発言があるようですが、「国の安全と防衛」という問題を終りまして、次の「国民の権利及び義務」というところへ移りたいと思います。

基本的人権に関する第三章の規定が第二章の規定と並んで日本国憲法の非常に大きな、また革新的な規定であることはいうまでもありません。ことにそれが裁判所の審査権と相まって過去数年間の日本で非常に大きな役割を果したわけです。それだけに、これについて最も改正意見が強く、ここにその意見が具体化されたわけなので、問題は非常に多いと思いますが、おそらく二つの点が特に重大でしょう。

第一は、一般問題として憲法によって保障されている「自由」が野放しになっているようで濫用が多い。従ってこれを何とか制約する必要がある。ついては、公共の福祉を促進するとか、社会の秩序を維持するとかのために法律で制限できることにしたらどうだ、という点です。それから、それに関連しますが、身体の自由に関する規定、処罰に関する規定についてももう少し絞ったらどうだという意見があります。

第二は、家族制度関係の規定でしょう。これらの点についてどうぞ……。

1　基本的人権制限への指向

田中　要綱案に現われた一般的な考え方は、私の推測ですが、基本的人権をあくまで保障するという現行憲法の趣旨とは逆に、むしろこれを制限して行くという方向に重点を移して来ているのではないか、ことに、今日までの規定で公共の福祉に反しない限りというような形で若干制限が加えられていたのを、今度は社会の秩序を維持し、公共の福祉を増進するために、一般に法律によって制限ができるという形に持って行ったことは、基本的人権の保障に関する規定の仕方の著しい変革だといっていいのじゃないかと思うのです。とくに最後のところに、「国民の幸福な生活実現のため、国家経済の発展に協力する」義務を規定していますが、このような義務規定を通してみますと、結局、全体主義そのものではないにしても、全体主義的な思想を思わしめるような考え方によって今までの基本的人権の保障に関する規定をおきかえて行こうという考え方が背後にあるのではないかという感じがするのです。

これまで、基本的人権の名の下に、それが若干濫用されたというきらいもないではないのですけれども、現在の日本の状態からすると、あくまでもその基本的人権を尊重するという態度を堅持し、お互いの自粛を期待しながらも、まだまだこの精神を一般に徹底させて行くというところに重点を置いて考えて行かなくてはいけないのじゃないかと思います。

ことに社会の秩序を維持し、公共の福祉を増進するための制限というものを一般的に認めるということになると、これは旧憲法時代の権利の保障と全く同じ状態になってしまうので、こういう積極的な目的のためにこれを制限するということはあくまで避けて、根本において、お互いの基本的人権を侵さない限りにおいての基本的人権はあくまで尊重するという精神を根本精神としてうたって行くことが必要じゃないか、それでは従来のような濫用を避けることができないといわれるかも知れませんが、若し何らかの対策を考えるとしても、ボン憲法の中に現われているような慎重な技術的な考慮を加えた立法措置を講じて行かなくちゃいけないのじゃないかと思うのです。かりに法律によって制限を加えることができる場合を認めるとしても、基本的人権のウェーゼンスゲハルト（Wesensgehalt）を侵すような制約をすることはできないという趣旨をはっきりと認めて行く必要があるのではないかと考えます。

現行憲法の中には、刑事訴訟手続的なかなり詳細な規定があって、多少不つり合いというような感じがしないでもありませんし、一つ一つの規定の仕方が必ずしもうまくないという点もあると思うのですが、人身保障の基本的な精神とか家族生活に関する憲法第二十四条の根本の趣旨などは、どうしても今後維持して行くという方針をはっきりさせる必要があるだろうと思います。

宮沢　団藤君、人身の自由などの点、いかがでしょう。

2　自白の強要、黙秘権

団藤　私も、今田中さんのおっしゃった点、全面的に同感です。

まず、刑事手続に関する規定について申しますと、この説明書によると、第三一条以下の規定はその性質上刑事訴訟法に譲るのが適当と考えられるものが少くないというようなことを言っておりますが、この趣旨は全く私には理解できないのです。旧憲法にも「法律によるにあらずして逮捕、監禁、審問、処罰を受くることなし」といったような規定はあったのですが、このような抽象的規定では人権の保障には全く無力だとおもいます。現に、旧憲法当時、実際の刑事手続において、人権蹂躙がかなり行われていたのは事実であります。

新憲法、新刑訴になってからは、ずっとよくなったとおもいますが、しかし決していまでも完全に根絶したわけではない。これは基本的人権の中でも一番大事なことではないか。これはどうしても憲法そのものの中に、相当に事こまかに規定することにしなければ、ほんとうの保障にならない。ヨーロッパ大陸法系でみられるような抽象的な罪刑法定主義の規定だけでは画にかいた餅みたいなもので、どうしても手続の面を詳細な規定によって保障する必要がある。

私は、憲法第三章の中で一番意味のある一つは、刑事手続に関する細かい規定が置かれたことだと思っています。ですから、これを今刑事訴訟法に譲るなどというのはとんでもない話だと思うのです。

それから、ここでは、特に自白の効力と黙秘権の問題が取り上げられて再検討を必要とするとされておりますが、従来人権蹂躙は自白の強要をめぐって一番問題になったので、現在でも自白偏重の弊害は決して除かれていないと思う。自白に関する第三八条の規定の重要性は、少しも減少してはおりません。なるほど黙秘権は一部の人によって濫用されているきらいがありますが、それはこの規定を動かす理由にはならないので、一般の無知な被疑者なり被告人たちの利益を十分保障してやるために、やはりこれはどうしても置いておくべき規定だと思います。のみならず、この説明書によれば、黙秘権の規定の母法たるアメリカ憲法の規定は偽証罪の適用を前提とした狭い規定だなどといっていますが、それは大変な誤解で、アメリカではセルフ・インクリミネイションに対する特権の規定はむしろ日本の憲法の規定よりはずっと広範囲の保障規定と考えられて来たものなのです。

それから、次に言論の自由だとか集会の自由だとかの問題、これはかならずしも刑事関係の問題ではありませんが、とくに刑事では非常に問題になりますので、ついでに一言しますと、私は現在の憲法の規定自体でもむしろ不十分なくらいじゃないかとさえ思っております。と申しますのは、現在の最高裁判所の判例では、基本的人権として保障されたものでも、公共の福祉に反するような場合にはこれを制限することができるというような解釈になっている。これは解釈論としてもおかしいのじゃないか。基本的人権にはなるほどそれぞれのいわば内在的な限界というものがある。しかし、それ以外に外からの公共の福祉というようなことで制限することは許されないのではないか。これは私一個の考えではなくて、東大憲法研究会の一致した考えであります。もし判例のように、公共の福祉ということから簡単に制限をみとめることになると、せっかく基本的人権を保障しても、ほとんど骨抜きになってしまう。憲法第十二条、第十三条あたりがこういう議論に論拠を与えているようですが、そういうことのないようにもっと規定をはっきりさせた方がいい位だとおもうのです。

言論の自由の問題なんかにしても、アメリカの判例では、個々の事案ごとに非常に苦労して、実際の事案に即して少しずつそれに対する制限を考えて行こうとしている。ですから、言論の自由が絶対的のものとされているわけではありませんが、しかし、その制限としては、決して行きすぎにならないような非常に実際に即した線が出て来ているように思います。ところが日本の判例ではそういう点非常に苦労が足りないで、いきなり公共の福祉というようなことを持って来て、それで制限するものですから、その制限が行き過ぎになりがちです。これはおそらく現行憲法の解釈としても、そういうことではいけないのじゃないかと思うのですが、憲法第十二条あたりの規定の仕方にも多少問題があるのでさきほど申したとおり現行憲法の規定でさえも不十分だという感じがいたします。まして、先ほど田中さんが御指摘になったように、この要綱案のように、社会の秩序を維持し、公共の福祉を増進するために法律でもって制限し得る旨を規定するということになると、これは大変なことになるのじゃないかと思います。

兼子 私も両君のいわれたことに賛成なので、特に刑事手続の規定なども憲法に現在のような規定があり、またそれに即応した刑事訴訟法があっても、なお被疑者を尋問するために強制的に逮捕したり、拘禁したりすることが行われているので、それはアメリカあたりでも例がないことはないといわれるかもしれないけれども、しかし、少くともそういうことが憲法にうたってあるということが非常に重要な意味を持つわけで、それを刑事訴訟法に移せばいいというような考え方は、基本的人権の保障については大きな逆行で、絶対にすべきでないと思います。

3 憲法には正しい意味の自然法は必要

我妻　この憲法調査会の説明の中に、法律をもってしても侵すことのできない基本的人権という思想は、自然法説または天賦人権説による思想だといって、そしてそれは旧時代の法律思想だと簡単に片づけている。しかし、国家の基本法たる憲法に正しい意味で自然法の原理を宣言し保障することは、むしろ必要なことであり、理論的にいっても、何等不都合はない、と私は考えている。

法律をもってしても絶対に制限し得ないというのはおかしいというが、憲法がすでに法律なのですから、この最高の法律で定めることは決して不都合ではない。結局は、憲法そのものの内容をどう定めるかということになりましょう。ことに、実際的にいって、法律で制限すればどこまででも制限し得るというのでは、基本的人権というものは、結局ただ法律の保障だけだということになる。

それでは、憲法の中に基本的人権を規定する意味が全然なくなる。もっともこの説明も、その点について考慮を払ったといっている。しかし、それは法律によらなければ制限し得ないという形式的要件と、公共の福祉という実質的要件だというのです。社会の秩序を維持し、公共の福祉を増進するということの一句が、果して実質的要件を定めたことになりましょうか。

宮沢　なりませんね。大体「秩序を維持し」というのは、多少消極的な警察的の目的、「公共の福祉を増進する」というと非常に積極的な目的で、その両方の目的で法律で制限できるということになると、非常にまずい。それから、今の自然法云々は、憲法で保障しているのだから、その下級の法律で制限してはいけない、そういってもいいわけで、自然法云々を持ち出す必要もないわけですね。

鈴木　濫用があるから、このような形で一般的に制限しうることにするのだというのは、論理の飛躍だと思います。しかしそれとともに書かれたものはすべて絶対だと考える必要がないばかりか、考えてはならないと思います。先ほどお話に出たような、黙秘権についても、それが濫用という程度になれば、それは不利益な供述を拒否することができるという中には入らないということを考えなければいけない。濫用が起っても、規定の文言に反するからそれを否定することができないといってしまうと、かえって基本的人権を否認するような議論が出てくることにもなるのじゃないかと思うので、その点は解釈上良識を働かせなければいけないと思うのです。

宮沢　では我妻さん、家族制度について……。

4　家族制度

我妻　家族制度についてこの調査会の要綱案に書いてあることを読みますと、一応もっともだと思わせるような内容のものです。ことに、前の方には、「旧来の封建的家族制度の復活は否定する」といって、それから「夫婦親子を中心とする血族的共同体を保護尊重し、親の子に対する扶養及び教育の義務」を認めると同時に「子の親に対する孝養の義務」も規定しよう。「農地の相続につき家産制度を取入れる」というのです。

子の親に対する孝養の義務などが、果して憲法の中にいう必要があるかどうか、議論の余地はあると思います。けれども、親の子に対する義務と対照して入れるといえば、一応りくつが通らぬこともないだろう。

それから家産制度という言葉は非常にあいまいですけれども、おそらく農地の細分化を禁ずる、あるいはそれを防ぐという意味でしょう。そう解釈をすれば、御承知の通り、最近ではヨーロッパの各国でもいわゆる一子相続制度をとりいれて、相続によって農地が細分化されないようにいろいろな方法を講じようとしているのですから、もっともなことだともいえる。ですから、これらの主張を抽象的に見ると、必ずしも通らない議論ではない。

ところが、この下に流れている思想が重要な問題だと思います。なぜなら、かような抽象的な命題は、その中に盛られて来る内容を決定しない。その底に流れている思想の如何によって、盛られる内容が非常に違って来る可能性がある。

ところで、憲法調査会のかような主張の根本に流れている思想は何かと申しますと、先ほどちょっと申しましたように、家族制度をこわしたということは、占領政策の線に沿って日本の弱体化を狙ったものだ、だからそれを直して行くのだというのです。そうだとすれば、家族制度を復活させなくちゃならぬという思想がおのずから底流となっているといわねばならない。そうすると、一番初めに封建的な家族制度の復活は否定するが、といっているのは、一体どういうつもりかといいたくなる。

また、夫婦親子を中心とする血族的共同体を保護尊重するということも、一応わかると私が申しました。

御承知の通り、資本主義がだんだん盛んになって参りますと、家族共同生活の維持が次第に困難になる。親が子供を養育して行くことが次第に困難になる。そこで、このファミリー・ライフを国家が積極的に保護して行くためにいろいろの施策を講ずる。経済的、社会的な保護を与えて、夫婦親子の小さいファミリーが社会構成のユニットとして健全に維持されて行くように、国家が積極的な世話をする、ということは、御承知のように、ワイマール憲法で明言して以来、多くの国の憲法に宣言され、世界人権宣言の中にも現われている。

この自由党の案をちょっと見ますと、それをねらっているかのように見える。ところが根本の思想がそうでないということがすぐ説明の中に現われている。この説明を読んでみると、これはもっぱら教育によって家族共同生活がうまく行くようにする、ただそれだけの意味です。社会保障によって老人に保護を与えて行くことは日本の経済力ではできない、だから修身道徳の教えで子供の親に対する孝養の義務を尽させる。その前提として、憲法にこのことを規定して、人倫の大義を明らかにする、というのです。

ですから、ちょうど大正八年の臨時教育会議がいったと同じことになる。臨時教育会議では、法律の中に家族制度を軽視するような規定があるのははなはだ困る、教育においては家族制度の尊重を教えるのに、法律においてはそれを軽視しているのは、矛盾撞着の甚しいものである、法律を改めて家族制度を尊重するようにすべし、といったのですが、あれと思想においては全く同じだという感じがする。

そうみて来ますと、子の親に対する孝養の義務を親の子に対する扶養の義務と並べたということにも、はなはだしい疑いを抱かざるを得ない。親が子を育てて、第二の国民として行くことは、社会に対する義務なのです。ところが、子の親に対する孝養の義務は、いわゆる人倫の大義ではありましょうけれども、社会共同生活の中の義務とはいえないのじゃないか。それをここに並べたということも、思想としてははなはだ違ったものを並べたものだという感じがする。

それから、農地の相続についても、さっき申しましたように、広い意味での一子相続制度がだんだん復活の気運にあることは事実です。けれども、それは均分相続をある程度徹底さして、子供たちの平等と自主自立の精神が十分徹底した上で、何とかして農地だけは分裂しないようにさせようとして苦労していることなのです。いいかえますと、一子相続制度をとって行くにしても、均分相続の原理は簡単に破ってはいない。均分相続の理想を維持した上で、いかにして農地だけを分割しないで一人の子に相続させようかということに非常に苦労している。そういう長い歴史のある国で一子相続制度をとるからといって、すぐ日本でそれをまねして、日本の農家においては一人の子に相続させなくちゃならない、そうでないと、日本の農村は滅亡に陥る、そして日本の弱体化を来たす、という思想で家産制度を考えることは、非常に危険だ、と私は思うのです。

結局この四に書いてあることは、最初に申しましたように、このことだけを読んでみて、そして進んだ国でこういう抽象的な理念の中に盛り込んでいる具体的な内容をこの中に当てはめてみますと、一応首肯することができるもののようです。

ところが、この改正意見によってこれに盛られる内容は、決して、そうした進んだ国で考えられているようなものではあり得ない。そのことは、根本の思想が違っていることから明かだと私は考えるのです。別な方面から申しますと、この説明の根底を流れている思想はこうです。……

わが国の家族制度をこわしたことは、わが国が世界の一等国となるような強い力を持っていたのをこわしたことなのだ、そして家族制度をこわしたことは個人主義を徹底させたことなのだ、それはみんなけしからぬことなんだ、だからもう一度わが国を強い国家にするために家族制度を復活させる、……こういう思想だとしか考えられない。

御承知の通り、わが国の家族制度はわが国の軍国主義に連らなるものだ、天皇制と家族制度は一体だということを強く主張する人が一部にあります。そして親子の関係や夫婦の関係について牧野(英一)先生の言われる「統合の原則」を少しでも入れると、それは天皇制の復活であり、軍国日本の復活だ、といって反対する人があるわけなのです。

しかし、私は、それに対して、少くも牧野先生の「統合の原則」は、抽象的な理論としては、軍国主義に通じなければならないものでもないし、天皇制に通ずる必然性をもつものでもない、といい得ると思っていました。いいかえますと、牧野先生の「統合の原則」……十九世紀には解放の原則が支配し、二十世紀は統合の原則が支配するといわれることを抽象的な理論として聞けば、一つの議論として通ると思う。だから、いやしくもそういう議論をすれば、それは天皇制の復活であり、軍国日本の復活だ、といって攻撃することは当らないと思います。

けれども、ここに書いてあるように、家族制度がこわれたために日本は弱体化した、もう一度人倫の大義を明らかにして、日本を強くして行かなければならぬという気持が出て来るとすれば、やはり反対論者のいうことも当っているのかと思わざるを得ない……。

5　国家主義的傾向の復活

田中　全体として非常に国家主義的傾向の復活という感じを受けますね。日本の場合は、もちろん今まで一部に、行き過ぎはありますけれども、全体として見ると、もっともっと正しい意味の個人主義に徹底し、個人の尊厳というか、個人というものの大切さを一般に滲透させることが重要なので、今国家主義を持ち出せば、この尊い経験が全く水泡に帰するという感じがします。

我妻　その個人主義という問題ですが、この中にも、合衆国を含む北米、中米、南米二十数箇国の共同になる米州人権宣言の中に、「親は未成年の子を養う義務がある、子は親を尊敬し必要に応じ扶養しなければならない。」と書いてあるといって、だから日本でもそういうことをするのは当然だ、といってます。

けれどもさっきも申しました通り、自由主義、個人主義に十分徹底して、封建制度を破り、人権の尊重あるいは個人の尊厳というものを十二分に意識した上で、今度それを基礎としていわゆる統合の原理に向って行こうとしているのをすぐまねする……、その個人主義に徹底しない日本、何よりも先にそれをやらなければならない日本で、個人主義はけしからぬという気持でそのまねをすることは、非常な間違いです。さっきから皆さんのお話と同じことがここにいえると思うのですね。

6　労働争議の制限、言論統制への危惧

団藤　それから、例えば国家経済の発展に協力する義務などというのがこの案に書いてありますが、これは例えばこういうところから労働争議なんかが制限されるということが出て来るんじゃないですかね。

田中　可能性はありますね。

団藤　それから遵法の義務、忠誠の義務などということになって来ますと、言論統制の可能性も出て来るのじゃないでしょうか。

宮沢　国家に対する忠誠の義務というのは、そういう危険がありますね。

田中　外国では反逆罪の規定を設けているのがある。日本では、そういう規定は設けないで忠誠の義務でカバーして行こうというのですから、当然そこへ関連を持って来るわけですね。

団藤　我妻先生のおっしゃる生存権的基本権と申しますか、そういうものがこの要綱案ではずっと押えられて来ている感じがしますね。例えば労働争議が国家経済の発展に協力する義務というもので押えられて来るということになりますと……。

我妻　そう思いますね。生存権的基本権というものは、国家が国民のために施設を作り、保護を与えて、積極的に実現しなければならないものなのですが、それは金がかかってできないから、制限するという金のかからない方だけやろう（笑声）という。金のかからない人倫の大道の宣言でいこう……。

宮沢　こういう人倫の大義というえらそうな言葉を使っているが、ほんとうに道徳的に高いことではないので、むしろ道徳的には低いことを人倫の大義というりっぱな言葉で表わしている。どうもこういう言葉を使うのは、そういう場合が多いですね（笑声）。

さっきのお話は、個人主義が行き過ぎたから訂正するというのですが、申すまでもなく民主主義というのは個人主義です。そして、正しい意味に理解された個人主義は利己主義ではないのですから、何よりもほかの人のことを心配する、社会全体のことを考えるというのが正しい個人主義だということになる。だから、民主主義を育てるには個人主義を徹底させる以外に方法がない。ところが、日本ではそれが徹底せず、個人主義といえば完全な利己主義くらいにしか考えられていない。そういう不徹底を修正して、これから大いに徹底して行くべきときに、個人主義が行き過ぎたというようなことをいっていたら、日本の民主主義の前途は実に心配ですね。

田中　まず政党の守るべき大義本道を自らきめた方がいい（笑声）。

兼子　淳風美俗といっても、法律や憲法で強制した淳風美俗というのはほんとうの淳風美俗たる価値がないということがわからないんじゃないか。

我妻　今の個人主義の話、占領中にリーガル・セクションにいた人、たぶんスタイナーだったと思うが……アメリカの雑誌に書いていました。「日本の指導者は、個人主義というものははなはだけしからぬものである、そして家族制度はそれとちょうど反対に非常にけっこうなものだと思うぐらいの程度の知識しかない……」（笑声）

それを読んだときに、私もちょっと反撥する気持ちになった。しかしほんとうだね、それは。個人主義というものはけしからぬものだという根本思想ですね。そしてすぐその個人主義に対立させて家族制度を持って来て、家族主義という主義を出す。制度ともいわない。家族主義という。そして牧野先生の「統合の原則」論などに力を得ているのではないかと想像される。

宮沢　「統合の原則」というのは……。

我妻　牧野先生一流の生彩ある表現ですが、内容は新しいものではない。つまり、十九世紀は個人主義の徹底する個人の解放（エマンシペーション）の原則が支配した時代だが、二十世紀になると、その上に立って統合の原則、国民的統合の原則が支配するというのです。十九世紀に主張された契約自由の原則も、行き過ぎるとそれを制限する傾向が現われてくる。そこに統合の原則が認められる。政治の面でも、民主主義の原則によって解放された個人は、国民的統合の原則で統合されなければならない。それが二十世紀の統合の原則だというのです。抽象論としては、いかにももっともな主張だというべきでしょう。しかし、わが国の歴史と現実を見るときに、具体的に何を強調すべきでしょうか。契約自由の原則にしても、わが国に存在する封建的な契約関係を解放の原則で改善する必要がむしろ多いとさえいうべきではないでしょうか。解放の原則の徹底しないところに統合の原則だけをおしつけると、専制的な統合になることは、歴史も教えるところでしょう。

宮沢　そこで統合という言葉を使うのはちょっと気になる。牧野先生のいうのは、昔先生の主張された社会連帯というような意味なんでしょうが、それに「統合」という、あのナチのころ使われた、ちょっと札つきのような言葉を持ち出すのは、用語としてどうでしょうかね。インテグラチオーンというと、全体主義的感覚を持つ言葉のような気がする。

兼子 家族主義という言葉も例えば「私のところの会社は家族主義ですから組合は要りません」というような言葉を使う。

鈴木 企業一家じゃないか。

宮沢 国鉄家族主義なんというのもあるね。

我妻 あまりに労使が対立して、分裂に分裂を重ねて行っただけでは企業の発展は望み得ない。そこに何らかの意味のインテグラチオーンが出て来なくちゃならぬというのも当然のことでしょう。けれども、それには第一段において各人がみな自覚して自主自立の精神をもつことが必要です。そうした上での協力ということで意味がある。個人としての自主自立のない者の統合は、さっきもいったように、権威による専制となる以外に途はない。それを、個人の自主自立をそっちのけにしておいて、統合ばかりやろうとするのは困る。抽象的な思想として進んでいるものも、現実の社会の指導原理としては必ずしも進歩的な作用を営まない。その逆のことさえ稀ではない。

宮沢 それでは国会へ参りましょう。

(6) 国会

1 国会制度についての問題点

宮沢 国会に関して十一項目ばかり出ておりますが、まず一に「国会は国権の最高機関である旨の規定は改めるものとする」というのがあります。

この趣旨はおそらく、日本国憲法制定以後の国会の地位がいろいろな点であまりに高過ぎるというので、それを多少モディファイする必要がある、というのでしょう。これは、後に出てくる緊急命令の制度や、国会の条約承認権を政治的に重要な条約にかぎることや、予算不成立等の場合に政府の責任支出をみとめることや、予算の増額修正、予算を伴う議員立法を抑制することなどとも関連していると思いますが、まずこのへんから御意見を伺って行きましょう。

2 国会の地位を低下させること

我妻 こまかな問題については専門の方からいろいろお話があると思いますが、全体としてみますと、この自由党の改正案では、国会をもっと力の弱いものにして、そのかわりに内閣の力を上げて行こうという感じが非常に強いのです。自由党が案を出したものとしては、その点はなはだ奇異の感に打たれるのですが、どういうものでしょう。

田中　私もその点については全く同じ感じを持つのです。確かにこれまでの国会には若干の行き過ぎがあったといえましょうし、ことに、議員立法などについては、いろいろ批判を受けるに値いするものがあったわけですが、だからといって、国会と内閣との関係について、今度の改正案要綱案に現われているように、国会の地位を非常に低く考えて行くということが妥当な考え方かどうか、甚だ問題だと思います。これはまた、あとで、具体的な、いろいろの問題について、申し上げたいと思いますが、全体としてそういう方向の考え方がいいかどうかということについて、まず最初に検討しておく必要があるだろうと思います。これまでの国会の在り方については種々反省すべきものがあると思いますが、私は、国会と内閣との間の根本の関係は今のままでよいのではないかと考えています。

3　両院制をどうするか

宮沢　それでは、次に一番問題になるのは、国会の両院制をどうするか、でしょう。御承知のとおりマッカアサー憲法草案は一院制をとっていたのですが、日本政府はこれに対して、一院制は困る、ぜひ二院制にしてもらいたいということをいって、両院制にすることに了解を得たわけです。

これは、マッカアサー憲法草案に対して日本の政府からの希望によって加えられた修正の最も大きなものといわれています。その修正として、衆議院のほかに参議院というものを設け、しかもその参議院も衆議院と同じように選挙された国民の代表者で組織されるということにして、そして参議院の権能は衆議院に比べて非常に弱いものということにしたのです。今度の憲法が施行されて以来、絶えずこういう両院制の方式がいいかどうかが問題になり、参議院の組織、権能等は再検討する必要があるのではないかということが、しょっちゅう問題になって来ました。

かつて選挙制度調査会においても、この点が問題になり、たしか、参議院の議員については推薦制をある範囲で認めるのが適当である、そしてその選挙についても（これは憲法できまっているわけではありませんが）全国選挙区というようなものはやめなければいけないという意見が有力だったようです。そうなれば、また任期というものも当然に問題になるでしょう。この、両院制をどうするかという問題、具体的には、現在の参議院の制度を改革する必要があるかないかというのが、国会に関する憲法改正について、一番大きな問題の一つであります。

自由党の憲法調査会の案は、ここにある通り（一五九頁参照）、国会議員は国民全部の代表者であるという建前は維持する、そうしながら、二院の異質性を明らかにするために、参議院の議員については、選挙された議員のほかに、推薦された議員を認める。又参議院の議員の選挙についてはあるいは間接選挙制を採用するとか、全国選挙区制を廃止するとかいうことを考慮する。これは憲法だけの問題ではありませんが、公職選挙法との関係において考慮する、そして参議院議員の任期も少し短かくする、というのが大体の考え方のようです。

この点はどうでしょう。

我妻　現在のような構成方法をとっていると、両院は非常に似寄ったものになるといわれますが、それは一応そうだと思います。ただ、参議院では、任期が長いし、解散がない。その結果、政党の勢力関係がかわったときに、衆議院の方だとその変遷がすぐ現われるけれども、参議院の方ではなかなか現われて来ないという点の違いはありますね。そのことはいいことか、それとも困ることか、それはどうです?

宮沢　両院制を採用した趣旨からいえば、そのことは悪くないと考えられているんでしょうね。それがもし困ると考えるとすれば、一院制に行った方が徹底している。だから、その意味でそういうことは当然に悪くないこととして、むしろ今の憲法が期待しているところでしょうね。

田中　日本政府側ではおそらくその点を考慮して、マッカアサー憲法草案の一院制を二院制に改めようとして努力したのだろうと思うのですが、私はやはり二院制の方がよいと思います。私たちが前に、憲法研究会でこの問題を議論したときにも、やはり二院制の方がいいということになりました。その二院制をとる理由として、大体三つの理由を考えたわけです。

その第一は、上院は継続と安定を表現するものでなければならないということ、第二は、下院の激情的な議論に反省を促すことによって慎重の要求を満たし得るということ、第三は、その目的のために特に考慮された選挙法を通して特殊の利害、特殊の経験、特殊の知識を代表し得るものであること、こういうような点を考えたのですが、連邦制の場合は別として、上院とか参議院とかを設ける場合に、その理由と考えられるのは、大体こういう点ではないかと思います。特に変革期においては、その変革を慎重にするという見地から、両院制に意義が認められると思うのですが、現在におきましても、やはり両院制を採用することが必要であり、そうして両院制を採用する場合には、その両院制が今申しましたような三つの要求に応じ得るように、その構成を考えることが必要なのではないかと思うのです。

そこで、具体的の制度を考えます場合に、参議院は、選挙された議員と推薦された議員とをもってこれを組織するという考え方がいいのかどうかということが一つの問題になると思います。

この点については、宮沢さんも参加されていた選挙制度調査会の答申で推薦制を支持されているのですが、そういう制度がいいのかどうか、選挙方法の改正だけでは国民各層の代表者とか特殊の職能、知識、経験の代表者とかを選出することができないことになるかどうかということが問題になるわけです。私たちの研究会の多数の意見では、一部分にしろ推薦された議員をもって構成するということは甚だ問題じゃないか、むしろ、衆議院と参議院とで選挙区とか選挙の方法とかを違えることによって、特殊の職能、知識、経験を十分に代表するような代表者の選出が可能なのではないか、選挙制度は改正しても、直接公選という根本の線は維持する方がよいのではないか、というのが多くの人の考え方だったように思います。

具体的にどうすればよいか、その方法はなかなかむずかしいと思いますが、衆議院議員の選挙の方を小選挙区制にすれば、参議院議員の選挙の方は府県単位又はブロック単位で行うことを考えて行くことによって、ある程度にその目的を果すことができるのではないか、というようなことを考えていたのです。

4 推薦制とは

我妻 選挙制度調査会の今いわれた推薦制というものはどういうことを狙ったのか、宮沢さんから伺いたい。

憲法改正の当時には、職能代表というようなものを選ぶことができれば結構だ、つまり選挙区を職能で制限すれば、選挙によることにしても、そこに質の違ったものを選出することができるのではないか、という議論があったと記憶しています。そして、日本では、ことにあの時には、まだそれぞれの職域の組織ができていないから、法律としてそれを規定することはできないだろう。そこで全国区というものを認めておけば、おそらく自然にそういうものが養われてゆくことになり、また、間接ながら職能代表を選ぶような目的に近づいてゆくことができるかもしれぬというので、全国区という制度をとったのだと記憶しております。

ところで、その後の動きを見ていると、例えば日教組とかあるいは交通運送に関するものとか、全国的な組織を持っているものは、容易に全国区から代表者を出せる。しかし、そういう組織のできていない職域からは代表者が出ないということになっている。従って、今のところでは、全国区が最初予想されたような職能代表を選び出すという目的を達していない。少くとも片ちんばではある。そして、片ちんばであることは弊害を伴っていることも否定し得ないでしょう。しかし、それをすぐやめてしまうことが妥当かどうか、それが問題だと思います。

宮沢さんも関係しておられた選挙制度調査会の推薦というのはどういうことを狙ったのでしょうか。

宮沢　選挙制度調査会は私もメンバーでしたが、その問題を審議した小委員会には参加していませんし、総会でどんな議論があったかも、記憶していません。もし総会で採択されたとすれば、あるいは私が欠席した総会か何かで議決されたのかもしれません。いずれにしろよくおぼえていませんが、おそらく昔の勅選制度にもなかなかいいところがある、そういう長所を何とかとり入れようというところから推薦制が考え出されたんだろうと思います。その気持はつまり選挙だけではとても得られないような人、選挙にはとても出ないというような人を何かほかの方法で国会に出す方法はないかというので、推薦といったような制度を考えたのだろうと思います。

しかし、私はこれには必ずしも賛成しません。今こういうふうに推薦議員を入れることを憲法で規定するのは適当でないとおもう。もし、最初憲法ができるときに、両院とも同じように選挙する議員で、組織することにしないで、ほかの国の憲法にも例のあるように、幾分そこに選挙されたのでない議員を入れる、というようなことを考えたとしたならば、あるいはそういうやり方も相当効果をあげたかもしれないとは思うのですけれども、しかし、一旦議員は全部選挙によるということにしておいて、それを改めるということになると、それだけの改正を今しなくてはならないような弊害が現にあるのか、又それを改めるとどれだけの利益があるのかも疑わしいのみならず、ほかの改正のいろいろな点との関連において、いかにも今までの憲法の行き方が民主的であり過ぎたのだ、それを改めるのだというようにも見えるので、そういう実際的な意味からも、今そういう改革を行うことは慎むべきではないかと考えます。

それから、全国選挙区のことが今問題になったようですが、これは選挙の技術として、相当考えていい問題じゃないかと思います。今までの全国選挙区が実際にどれだけ成績をあげているかは、なかなかむずかしい問題ですけれども、理論的に考えてみて、全国一選挙区にして、今のような単純な単記投票を行うやり方は、選挙のテクニックとしては、どうしてもそう賢明なやり方ではない。今までのやり方に弊害があったかどうかはむずかしい問題ですが、やはりそれは十分検討する必要はあるだろうと思います。これは憲法の問題ではなく、選挙法の問題ではありますが……。

我妻　推薦の方は非常な問題ですね。推薦の方法が書いてないからよくわかりませんが、従来のことを考えると……。

宮沢　選挙制度調査会の案には書いてありましたね。

田中　書いてあります。

選挙制度調査会の案では、参議院の定数は選挙によるもの百五十人推薦によるもの百人とし、推薦議員は二年ごとに五十人ずつ選考委員会で選任したものを衆議院で承認する、そしてその選考委員会というのは十二人の委員で組織するのですが、そのメンバーは内閣総理大臣、衆参両院議長、最高裁判所長官及び言論界代表、官公私立大学長、実業界代表、労働界代表各二人ずつとし、総理大臣を委員長とする。その一般選考委員八人の任期は二年とし、衆議院で指名する、こういう制度のようです。

さきほど宮沢さんがおっしゃいましたように、憲法で衆参両院とも全部選挙された議員をもって組織されるということになっているのを、今この際、推薦制に改めることはどうか、私も、ここに重要な問題があるのではないかと思います。最初から推薦制をとっていたとすれば、それはそれなりに意味をもっていたのでしょうが、今ここで推薦制に改めるということになりますと、昔の勅選制への復帰を思わしめることになり、こういう傾向をもった憲法の改正が憲法自体の改正のみならず、憲法下の諸制度に対しても、ただ復元的又は逆行的な改正を促進することになるのではないかということを非常に心配するんです。

私は、推薦制に若干合理的な理由がないとはいえないと思いますし、特に従来の参議院議員の選挙制度が必ずしも妥当ともいえず、また必ずしも適当な結果が得られているとはいえないと思うのですが、今この際そういう方向の制度の改正をするということについてはよほど慎重にする必要があるのではないかと考えます。こういう意味で、私は今、宮沢さんのおっしゃったことに全く同感なのです。

宮沢　これはどうでしょうかね。参議院議員の任期は六年であって、しかもそれが衆議院議員の任期と同様に憲法に書いてある。ですからちょっと簡単に短かくするわけには行かないというので、任期を憲法に書いておくのは適当でないという意見がある。又憲法に書いてもいいが、六年は長過ぎるという意見があります。

田中　任期のことは、憲法に規定しておく方がいいと思うのですが、六年というのは少し長過ぎるでしょうね。その理由は、国内的事情とか国際的情勢とかが、急激に変遷しつつある今日の時代に、六年間その地位に居すわるということは、やはりその時期に最もよく民意を代表する代表者たるにふさわしい人をもって充てるということにならないおそれがあるからです。

そこで、任期としてはまず四年というところでしょうか。それでも衆議院の方には解散という問題がありますのに対して、参議院の方はそれがないということで、その間に十分異質性を持ち得るわけです。参議院の継続性という点を考慮するにしましても、まず四年見当というのが適当な任期じゃないかと思うのです。

我妻　一方からいえば、確かにそれに相違ないでしょう。しかし、かりに推薦制度をとったときに、任期があまり短かいと、どうしても時の内閣的色彩の強い人が送り込まれるということになって、両院の異質性がなくなるというおそれはありませんか。

田中 一部議員の推薦制を認めるということになりますと、推薦議員の任期についてはあまり長過ぎても困りますが、四年では短かすぎるという感じはしますね。しかし、私は、推薦制をとらないという建前で、四年の任期をもって選挙されるという程度が適当ではないかと思うのです。

6 参議院の構成についての一試案

兼子 私は参議院について、専門的ないわゆる政治屋がならぬという意味において再選を認めないという形にして、しょっちゅうかわることにしたらどうかと思っている。要するにその間だけは御奉公するけれども、しかしそれが一生自分の職業みたいなものになってしまって、政治の専門屋になるのではなくて、かえってその都度勤めるのだという形で、いわゆる普通の政治家はならないように……。

宮沢 ぼくはそういう趣旨でこれは憲法改正の問題ではないが、参議院議員は国務大臣を兼ねられないことにしたらいいといったことがある。

衆議院は内閣不信任決議権もあるが、解散されることもある。その議員は国務大臣を兼ねることができる。これに対して、参議院には不信任決議権もない。解散もない。そして議員は、国務大臣を兼ねることができない。……こういうことにすると、参議院の批判者的機能がよりよく発揮されるのではないかと考えたのです。憲法でそうきめないでも、少くともそういう慣行を樹立することが参議院のレーゾンデートルを強める意味でいいのではないかというのです。

この自由党の案で両院制について問題になっているのは、このような組織の点だけで、その権能の問題、特に参議院に対する衆議院の優越性については、それを今どうしようという意見も別にないようで、つまりこの点は現状維持ということなんでしょう。

7　小選挙区制

我妻　ちょっと話を戻しますが、両院の構成の問題で、衆議院の小選挙区制という問題を取上げていますね。これは「理論的根拠からも政界粛正の意味からも強く主張された」と書いてありますが、素人のぼくにはこの点がわかりません。

大学で上杉先生から聞いた講義では、小選挙区制とすると、どうしても地方のボスが出て来る。大選挙区にすれば、それだけ国家的大人物、例えば吉野作造のごとき者が出て来る、と先生は皮肉交りにいわれたが、吉野作造先生の方はともかくとして、小選挙区にするとボスが出て来るという可能性は考えられると思うのです。しかるに、それが理論的根拠からも良い制度だという意味がわからない。しかも、それと同時に、国会議員は日本国の国民全部の代表であって、選挙区の利益代表ではないということを憲法に書こうというのですがね。小選挙区にするという気持と、そこのところがどうマッチするものか疑問のように思う。

宮沢 それは二大政党を理想と考える立場からいって、小選挙区制にした方がいろいろな政党的対立が二つの大政党に煮つまる可能性が大きいことをいっているんでしょう。二大政党が理想である、その理想に近づくには小選挙区がいい、というのがここにいう「理論的根拠」という言葉の意味でしょう。

小選挙区が理論的根拠からいってもすぐれているのだという意味はどういう意味でしょう。

我妻 小選挙区だと二大政党になるというのは、どういう意味です?

宮沢 小選挙区ならば大体一区から一人ということになるから、三つの政党、四つの政党が並んで争うよりも、やはり二つで争うことにした方が能率的である。従って、有効に戦うためには、できるだけ小異を捨てて大同に就く傾向がある。ここから大政党が生れるだろうというのです。

今までの諸国の経験からいえば、必ずしも小選挙区だと大政党ができるとは限らない。しかし、原則として、大政党の成立を助成するということはいえる。ことにイギリスやアメリカのような典型的な大政党の国が永年小選挙区をやって来ているというようなところから、大政党を助成するには小選挙区がいい、小選挙区だと、どうしても大きな政党にくっつかないと当選の見込みが少いというので、みんなが一つにかたまりやすい、というふうに考えるんです。

田中　社会党も、左派と右派とが合同して一本となり、保守政党も、自由党と民主党とが合同して自由民主党となり、結局進歩政党と保守政党とが対立し、次の選挙では、それぞれが候補者を立てて争うことになったわけですが、その場合、合理的な小選挙区制ができるなら、将来、二大政党主義を確立ずる上に都合がいいのじゃないかと思います。

我妻　いや、それはわかる。私の考えている疑問は、小選挙区の大きさによることかもしれません。しかし、社会党なんかは、相当広い区域の中から一人選ぶ場合なら非常に強味があるが、小さく切られると不利益だという点がありませんか。工業地帯なんかを考えますとね。今まではそういうところでも社会党が合同しないで別々に候補者を立てても倒れになっていた。あれはずい分馬鹿げたことだとは思うのですけれども……。個々の選挙区を小さくするというのは、一つの選挙区から一人というのですね。

宮沢　大体ね。

我妻　そうすると社会党に不利益だという気もしますが……。

宮沢　だから小選挙区制については、社会党系統は反対でしょう。しかし、そっちの方の考え方の人も、長い目で見れば、小選挙区必ずしも不利でない、政党制度が確立し、二つの政党が対立してたがいにその地盤を開拓するというようになれば、必ずしも不利でない、と主張する人もある。イギリスの例を見ても、小選挙区制ばかりでやっているのに、労働党が圧倒的勝利を得ることもしばしばあったのですがね。しかし、目前の問題としては社会党方面は小選挙区にはもちろん賛成でないでしょうね。

田中　社会党としても、例えば一昨年（一九五四）の兵庫県の知事選挙の結果などを見て、相当自信をもつようになっているのではないでしょうか。あそこは保守政党の金城湯池と考えられていたところでしょう。保守政党の最も強固な地盤だと考えられていた農村地区でさえ、社会党が圧倒的に多数を占めたのですから。兵庫県の知事選挙は、若干特殊事情もあったようですけれど。

宮沢　知事の選挙というものは、まさに小選挙区の選挙なんです。一区で一人を争うんですから……。ちょうどこの場合に保守連合、革新連合で行くという傾向が見られる。統一した方が勝ちやすいといわれる。こうしてだんだん大政党ができてくる……というふうにいわれるんです。

8　小選挙区は選挙粛正になるか

宮沢　それからもう一つ、選挙粛正の点から……もっとも、これははたして粛正になるかならないか、むずかしい問題ですが、小選挙区の方が運動に金がかからない、候補者の行動を監督しやすい、ということがいわれます。しかし反対に、狭いところでやるとボスがはびこる、候補者と有権者との関係が密接パーソナルに過ぎる、その結果として腐敗が行われやすい、ともいわれます。結局小選挙区が選挙運動の浄化に役立つかどうか、仲々断定はむずかしい。

我妻　金がかからないということは確かかもしれないが、浄化に役立つかどうかは問題だな。つまり小さいところだと、誰がどこに投票したかもわかるようになる……。

宮沢　そういうこともある。

我妻　そうすると、それだけがっちりつかまえてしまうということが可能になる。

田中　その金がかからないという点についても、全国区の場合を別にして、今の中選挙区制と小選挙区制とでどちらがより多く金がかかるかという問題について、ある大臣が小選挙区制の方がむしろ金がかかる、といっていましたね。そういうこともいえるのかもしれません。

狭い区域では、パーソナルな関係が強いわけですが、平素から地盤を培養しておくとか何人かの選挙人を捉えているボスを金で動かすというようなことになると、よけいに金がかかるということにもなります。もし、そういうことになると、政界浄化どころでない、ということになるかもわかりませんね。何れにしても、ボスの支配を断ち切ることが何より大切でしょう。

9 臨時国会召集の要求

宮沢 では、国会の問題について、臨時国会召集の要求の問題はどうですか。臨時国会の召集は、憲法では各議院の議員の四分の一から要求できることになっている。ところが、実際は要求しても政府はなかなかすぐ召集しないのです。いつまでに召集しなくてはならないという制限がないものですから、今までの例では、要求があっても、それは単に希望としてとり扱われるにすぎない状態なんです。そこでそういう要求があったら一定期間内に召集しなければならないものとしようというんです。あるいはこれは国会法でやってもいいことかもしれません。……

田中 こういう点まで憲法に規定しないと一定期間内に召集されないということ自体がおかしいと思うのです。

宮沢 そうですね。ほんとうですよ。

田中 こういうことは、将来そういう悪い慣習をつくらないように、正式に要求があれば一定期間内に必ず召集するというふうに運用して行くことによって解決すべきではないかと思いますが。

我妻　大体これは、政党というものは憲法をうまく運用して行けないものだという前提でできているんだよ。（笑声）

宮沢　どうもそうかもしれない。いつまでに召集しろ、と書いてないから……といって、いつまでも召集しない。だからいつまでとはっきり期間を設けろということになる。そうなると今度は、そういう期間を定めたのに、その間に召集しなかったらどうする、ということもさらに規定する必要がある……というようなことになる。

憲法の規定は、その精神に従って、皆が忠実に守るということを根本の前提にしているのだから、その前提がふらふらだということになると、いくら規定をつくってみても、何にもならない。そういうことは、少くとも憲法で規定することはせずに済むようにしたいものですね。

10　国会の召集は国会（議長）の権限にする

田中　根本にさかのぼって、国会は内閣が召集するという形を維持するか、それとも、通常国会の場合には定期に集まるということにし、臨時国会は、議員又は内閣の要求で、議長がこれを召集するという形をとるか、こういう点を考えてみたらどうでしょう。

国会がほんとうに国権の最高機関だという趣旨を表わして行くとすれば、あとの方の行き方を考えてもいいのじゃないかと思うのです。内閣が、議題にするものがないから召集しないとか、請求があってもそれに応じないということは、少くとも今の憲法の建前からするとおかしいですね。召集は、正式の請求があれば、議長の名においてするというような、要綱案とは逆の考え方を徹底した方がいいのじゃないかという見方があると思うのです。

宮沢 そうですね。今のこの要綱案の考え方というのは、根本においてそういう考え方の反対の方向に向いています。召集の点に関連しては、通常国会の会期を短縮することもいっています。さっきもいったように、国権の最高機関であるという原則を改めようといっているのですから、その点は今の御意見とは根本的に方向が違うのですね。

(7) 内閣

宮沢 それでは、国会はそのくらいにして、次の内閣に移りましょう。

内閣についていろいろ重要な問題がありますが、ことに、国会の閉会中、緊急事態に際して、法律にかわるべき命令を発することができる、……この緊急命令。こういう制度は国会との関係において、今までにない制度で非常に重要なものではないかと思います。

それから、そのほかの規定を見ても、国会に対する内閣の独立性というか、自主性というか、それを多少強めようという傾向が見られるようです。条約の締結についても、今までのようにすべて国会の承認がいるということにしないで、一定の条約についてのみ国会の承認を必要とすることになっています。

そのほかこまかい問題としては、国務大臣は文民でなければならないという規定をどうするか、国務大臣という呼び方をどうするか、などということもあります。

また、九条を改正する結果として軍隊の指揮権が内閣総理大臣に与えられるとか、戦争及び非常事態の宣言、国防会議及び軍の編成維持の事務を内閣の権限とする、それから、戦争及び非常事態の宣言には国会の承認を要するというようなこともありますが……。

これらの点についてひとつ御意見を……。

1 内閣の地位の強化――緊急命令

田中 先ほど、国会の地位をどうするかという問題と関連してお話が出たわけですが、この案では、全体の考え方として内閣の地位を非常に強化するという方向で、いろいろの改正を加えようとしていると思うのです。

これは恐らく自由党が何年間か内閣をとって、実際の運営に当って来たその経験から割出して出て来た結論だろうと思うのですが、しかし、一般的に内閣の権限を強化するという考え方が妥当かどうかという点は、相当問題だと思います。ことに国会との関係で、新しく国会の停会という制度を認めようということを考えているようですが、そんな必要はないでしょう。むしろ国会の自主自立性を尊重するということを根本の方針として維持して行った方がいいのじゃないかと思います。

また、緊急事態に際して、内閣がいわゆる緊急命令的なものを出すことができるという制度も、旧憲法にかえるような形になるわけですが、これも避けた方がいいでしょう。前にお話にも出ましたが、緊急事態を予想して種々の規定を整備しておくという考え方は、一つの考え方ではありますが、そういう制度ができると、それが本来の目的を越えて濫用される可能性が非常に多いわけですし、国会を軽視して行くという考え方が当然それに伴って出て来るおそれがあるように思うのです。

そういう点からいいますと、緊急勅令を制定しなければならなかったという事態はそう頻繁にあるわけではなく、将来においてもそういう場合を予想して、憲法の規定を整えておかなくてもいいのではないかと思います。もし、そういう事態が生じた場合には、国会の常任委員会とか参議院の緊急集会というような制度を適当に運営することを考えてやって行けばいいわけで、あらゆる場合を予想して憲法の規定を整備しておくことから生ずる弊害、とくにこれを濫用するという弊害の方が心配です。英米ではこんな規定がなくても、十分やって行ってるわけですから。

2　条約についての国会審議権の制限

田中　それから条約の点ですが、これは、憲法でいう条約とは何かという、憲法の解釈とその運用によって、ある程度に解決できる問題で、条約の中の重要なものだけについて国会の議決を要するというような形をとりますと、ある条約は重要でないという理由によって、議決を経ないですましてしまうということにもなりかねない。そういう場合のことを考えますと、先例とか慣習とかによって条約の中に、国会の議決を要する条約と議決を要しない事務的協定又は行政取極にすぎないものとが自然に区別されて来る——すでにその区別ができつつあるわけでもありますが——そういう解釈・運用の面で、問題が解決されて行った方がいいのじゃないかという感じがします。

我妻　最後の「事務的協定については承認を必要としないものとしたい、従来しばしば問題の種になった」という点だが、国会が開会されていないときに事務的協定のためにわざわざ国会を召集するというようなことが困るというのなら、多少わからぬこともないが、事務的協定まで国会でいろいろつつきまわされて大いに弱ったから、という理由だとすると、はなはだおもしろくない。

宮沢　条約とは何かということは、実際にはちょっとむずかしい問題です。単なる政府間の事務的協定で、国会の承認を得べき条約の中に入らないものもあるわけで、現に実際にそう取り扱われているものもあります。そのへんの区別が実際の場合に困難なことはたしかだと思う。本来の条約というものはどこまでもすべて国会にかけるという建前でやっていても、そういう問題はどうしても起るが、国際的および国内的慣行その他で実際にはおのずから解決はつくだろうと思う。

この案は、そういう解決で満足せず、それよりもっと進んで国会にかけるのは「政治的に重要な条約」だけに限ろうというのだが、そうなると、もっと大きな問題になるのじゃないでしょうか。私は、今のままで実際にそれほど困るわけではないのじゃないかと思います。今までも行政協定みたいな重要なものが国会にかからなかった、それで済んでいるというか、済ませたというか、そういうふうにやっているんだから……。

我妻 事務的協定なりや否やで争っているのだから、それを法律で解決しようということ自体がすでに無理だ……。

宮沢 政治的に重要だということになったら、これはよほど違って来ると思いますね。

3 内閣と国会——不信任案の提出と解散

宮沢 それから、さっき国会のところで、内閣との関係に関する問題は後に譲ったのですが、内閣と国会とをどういう関係に置くかの問題があります。

私は今の制度は、国会が非常に強く内閣が弱いのですけれども、しかし、そこに一種のバランスという関係が認められていると思う。その点からいって、解散という制度が非常に重要な役割を演じている。これによって非常に弱い地位にある内閣がある程度国会に刃向うことができる。その結果、そこにある程度のバランスが確立されている。内閣は弱いとはいえ、完全に国会に従属しているわけではない。……こういうぐあいになっているのですが、その解散と不信任案とについて、この案に意見が出ています。

すなわち、まず、「解散の根拠を明かにすると共に必要な制約の方法を講ずるものとする。」とある。根拠を明らかにするというのは、従来御承知の通り解散が憲法第六九条によって行われるとか、七条によって行われるとか、いろいろ争われ、訴訟にもなっておりますから、その点をはっきりさせるという意味でしょう。

問題はそれに関連して「必要な制約の方法を講ずるものとする」というところにある。それから次に「不信任案提出につき提案の定数、表決に何等かの制約を加えるものとする。」とある。つまり不信任案を提出するときに、提案に必要な議員定数を多くしてこれを困難にする、とか、その表決については多少普通よりも重い多数を要求しようとか、いうのでしょう。かような不信任案提出について制約を加える、それから解散についても必要な制約を加えるというのですが、これはどういうものでしょうかね。

我妻　自由党が確実な多数を持たないで苦労したことを直そうというのでしょう。

田中　現行憲法では解散の根拠がはっきり規定されていないので、いろいろ意見が岐れてもいるわけですから、これをはっきり規定しようというのは、いいのじゃないかと思うのです。

私は、現行憲法の解釈として、解散の根拠は必ずしも第六九条の規定する場合だけに限られるものではない、議院内閣制の本来の趣旨からいって、内閣に一般的に解散権があるという解釈ができると思っておりますが、その点をここにはっきりさせることは、意味があるのじゃないかと思います。

我妻　その問題と、不信任案決議を困難にするということとは、まるで違うことですね。

田中　それは別問題です。その不信任案の提出及びその表決についての制約を加えようという考え方には、私は賛成できないのです。

その提案者の定数を多くするという必要はないと思いますし、表決についても、例えば現在の過半数というのを特に三分の二にするというように改める必要はない。そういうことになれば、不信任案は非常に出しにくくなる。出しにくくすることが目的なんでしょうけれども、少くとも国会の過半数が不信任を表示するという場合には、内閣としては解散によって国民の真意を問うか、それともみずから総辞職するか、するのが当然ではないかと思います。それを仮りに三分の二の多数を要するということにすれば、不信任決議の制度は殆ど無意味になってしまうおそれがありましょう。実際上、不信任決議が、成立するということは殆どないようになるでしょうからね。

宮沢 解散と不信任決議権というのは内閣と国会（衆議院）とがおたがいに相手をやっつけるために持っている武器なんですが、この案は、その武器を両方とも少し制限しようというんですね。

田中 そうですね。

宮沢 そういう考え方にもむろん相当の理由はあるでしょうが、はたしてその改正を今行う必要があるかどうかなかなか疑問ですし、今までの実際における運用の経験からいって、こういうことを憲法を改正して特にやらなければならないかというと、どうもそれだけの理由はないようですね。

4 解散権の制限――フランスの例

兼子 前の点で解散に何らか必要な制約を講ずるという問題、これはフランスの制度のように、国民の総意の継続性を或程度尊重して「一年なら一年の間絶対に解散は認めない」ということを考えているのですかね。要するに、そういう場合は内閣は解散をせずに自分で引き下るべきで、短かい期間に何度も解散権を振りまわしちゃいけないということを考えているのか知らん。

宮沢　そういうことになるでしょうね。制約を加えるとすれば……。続けて何べんやっちゃいかんとか、そういうことでしょうね。一定の期間……。

我妻　閉会中にはできないなどともいう……。

宮沢　あるいはそういうことも考えられているかもしれない。あまりその点は説明してないが……。

5　「行政権はすべて内閣に属する」

田中　最初の「行政権はすべて内閣に属することを明確にする」という一項がありますが、これはその趣旨においてはいいのではないかと思います。特に人事院とか、各種の行政委員会とかが、内閣から独立した存在として認められるかのごとく、関係当局者が説明している例があるようですが、一切の国の行政について内閣が責任を負うという建前をはっきりさせることによって、行政の民主性と責任性を保障して行くという趣旨をはっきりさせるのが妥当ではないかと思うのです。

現在の憲法の解釈としてもそういう解釈ができると思いますが、それを一層明確にするという意味において国会と司法のそれぞれの規定に準じて、「行政権はすべて内閣に属する」ということを明確にすることはいいと思うのです。そしてかりに軍隊を設けるということになれば、これについても内閣がその最高の責任者だということになるのは当然のことと思います。

ところで、戦争及び非常事態の宣言には、国会の承認を要するということにしながら、国防会議及び軍の編成維持の事務はこれを内閣の権限とし、これについては国会の承認を必要としないかのような表現になっているのですが、若し、それが、この限りにおいては国会を関与させないで、内閣だけの考えで処理して行くという考え方であるとしますならば、これまた非常に問題じゃないかと思います。国防会議にしても、内閣の責任のもとにあるとはいいながら、直接又は間接、国会に対して責任を負う体制をとらなければならないし、軍の編成維持の事務はこれを内閣の権限とはしながら、その重要な事項は法律で定めるとか、国会の議決を要するとか、いうふうにすることが根本の建前でなくてはならないのではないかと思うのです。

その点については案の趣旨がはっきりしないのですが、何か内閣のもとに属するということにしながら、国会から独立した形のもの、旧憲法下の統帥権のようなものを考えているのじゃないかという感じがするのですが、その点はどうなんでしょう。

6 国防会議

宮沢 その点よくわからないのですが、説明には、「政変等による国防方針、防衛基本計画等に不安を与えないため、憲法上の機関として国防会議を設け、その安定と永続性を保障することにした。」とありますから、憲法上の機関として国防会議を設けるが、それから下はすべて内閣にやらせるという趣旨ではなく、やはり普通の行政組織などと同じに、法律で国防会議の組織運営、軍の編成維持を定めるというつもりのようですね。

田中　その結果として国会がこれには関与しないとか、内閣がかわっても内閣の影響を受けないとかいうような考え方が出て来てはいないでしょうか。そうなると、昔の統帥権の独立というような考え方が出て来ることになり、国民に対する責任という点が不明瞭になるおそれがある……。

宮沢　それが出て来ると非常に困ると思うのですが、この案の趣旨は、そこははっきりしていないですね。

我妻　少くとも行政委員会くらいな独立性は認めるつもりじゃないですか。

宮沢　それから、統帥権というものの今までの歴史ですね。軍の「統帥」ということについて多くの人が持っている一種の伝統的な感じ方――つまり統帥権は何かしら、ふつうの行政作用とはちがうもののように考えたがる――というものがある。軍隊が置かれるということになると、すぐ統帥権をどうするかということが問題になる。こういった点を考えると、今田中君の言われたような心配は大いにありますね。

田中　私は、内閣の責任のもとに国防会議も運営されることにし、内閣の方針がかかわれば国防会議の運営がかわってもしかたがない。そしてその関係では内閣が国会に対して責任を負い、国会がその責任を追究することができるというふうにするのが当然で、安定と永続性を保障するという見地から、なるべく国会とか内閣から独立した国防会議を設け、国防会議において独自に国防計画というようなものを立てて行くということになると統帥権の独立ということになる。

宮沢　そうなるとむかしの「統帥権」になってしまう。

我妻　ことにここには政変等による云々の不安を与えないためにと書いてあるね。

宮沢　そこはちょっと心配ですね。

7　行政権の内閣専属と委員会制度

鈴木　さっき田中君がいわれた、行政権はすべて内閣に属するというのは、現在の委員会制度を否定しようという考え方ですか。

田中　そうではないのです。人事院にしてもまた各種の行政委員会にしても、現在認められているような意味での権限の独立性という点は認めて行くわけですが、その程度の職務権限の行使における独立性は、内閣が責任を負うという体制のもとに憲法上可能ではないかという考え方を前提にしているわけです。

宮沢　公安委員会なんかどうです。

田中　公安委員会についても、現在認められる程度の独立性は行政についてすべて内閣が責任を負うという建前と矛盾するものではないのではないかというふうに考えております。

それでは、内閣が責任を負うことができないじゃないかという意見が出て来るのですが、私は、内閣が人事権を握り、また予算権を握っている以上は、その責任を負うために必要な最小限度のコントロールはできるというふうに考えるのです。一々の権限の行使について内閣が指揮命令をするわけではないというだけのことであって、現行憲法のもとで、すべて行政権が内閣の責任のもとに行われるという解釈をした場合でも、今の人事院にしても行政委員会にしても、内閣の責任のもとにあるのだという説明は十分成り立つのではないかと思います。

我妻　田中君の最初に言われたことは、ぼくもそういう意味だと解釈しておりました。そしてそれに賛成なんです。

ただここに書いてあることは、その点はっきりしないですね。各種行政委員会のごときものが、内閣の管轄に入るか否かで常に問題になっているので、明確に行政権はすべて内閣の権限と責任に属することにした、と、これでいい切っているからね。だから、かようなものは廃するというつもりか、かようなものに現在与えているくらいな権限の独立を与えても、やはり最終的責任は内閣が負って行くのだということをはっきりさせなければならぬというのか、そこはわからない……。

宮沢 現在の状態でも、内閣に行政権がもっぱら属しているのに、特にそのことを「明確にする」とりきむゆえんのものはどこにあるだろうと考えると、鈴木君がいったような疑問は当然出てくるでしょうね。

田中 そういう疑問は確かにありますし、特に人事院総裁が人事院規則の制定権を根拠づけるためでしたか、人事院は内閣から独立した機関であるというようなことをいわれるわけです。そこで、そういう人事院はつぶして、内閣のもとに従属する人事機関を設けることによって内閣が責任を負いうる体制をつくり上げるべきだという意見が出て来るわけです。また、行政委員会についても、これはアメリカ制度の模倣で、こういう制度は日本では必要はないし、その行為についての責任の所在もはっきりしないから、これをやめてしまえというような意見が出て来るわけです。

しかし、私は現在の程度の権限の独立性を持ったものを内閣のもとに置くということは、すべて行政権について内閣が責任を負うという建前のもとにおいても、決して不可能というわけではないのじゃないかと思う。それは要するに、人事権とか予算権というような一種の支配権は内閣が握っていて、ただそれぞれの事務の性質に照らし必要な限りにおいて権限の行使の独立性を認めて行こうというにすぎないからです。

鈴木 ぼくが疑問を出したのは、現在でも解釈によってそう考えることができるのならば、別に変えないでもよくないか、規定を変えたため、委員会制度を否定するような考え方を誘発するようになっては却ってまずいのではないかという気がしたからです。

田中 なるほど、ごもっともです。ただ、私がおそれるのは人事院とか行政委員会の程度のものならいいのですが、憲法上、内閣の外に、行政機関を設けることが禁ぜられているわけではないという解釈の下に、一歩進んで、国防会議とか、最高経済会議というような、内閣から独立したものを次々に設けるような可能性がある。そういうことをさせないように、すべて行政権は内閣に属するということにして、内閣の責任のもとにはっきりさして行った方がいいのではないかという考え方なんです。行政委員会を置いておくことの説明は、こういうふうにした場合でもできる。しかし、国防会議というようなものが置けるというような解釈がされる余地がないようにしておく必要があるのではないかと思うのです。

宮沢 しかしどうでしょう。国防会議ができて、今の公安委員会程度の独立性をもったら。……公安委員会は、今度の警察法の改正で、内閣に従属しているといえますか。

田中 従属しているといえるかどうか問題ですが、内閣の所轄——責任——の下にあるとはいえるんでしょうね。政府では、そのために国務大臣を委員長に充てることにしたのでしょう。

宮沢　かりに国防会議が公安委員会程度の独立性を持ったとする。これは非常に問題で、甚だよくないと思うんですが、それでも、内閣の統轄に属していれば、憲法上はかまわないということになりますか。

田中　人事権なり予算権なりを全部握っておれば、一応そういう説明はできるだろうと思いますが。尤も、望ましいことではありませんね。

宮沢　それが実際政策上望ましいかどうかはむろん別としてね……。

鈴木　だが、今お話しの国防会議については、軍をつくるというようなことを今すぐ憲法を改正して実現するようなことにはそもそも賛成ではないのでしょう。

田中　賛成ではない。

鈴木　そうとすれば、仮りに将来そのようなことが現実の問題になったとき、憲法に新しい規定がたくさんできるわけだから、そのとき考えればよいことで、そのときを見越して今考えなくてもよいのじゃないかという気がするのです。

田中　私はむろん賛成しないのですが、われわれとしては賛成でないにしても、こういうものができる可能性があるわけでしょう。できる可能性があるとすれば、それは一体どういう形にするのが憲法として妥当な行き方かという観点から今問題を論じているわけですね。

そうだとすると、やはりそれは内閣のもとに置くという考え方がいいのではないか。

しかし、ある程度の職務権限の独立性を認めなくちゃならない種類のもの、例えば警察とか公正取引というような問題になると、その目的に必要な最小限度の職務権限の独立を認めて行く。国防会議にそういう必要があるかという点はこれはまた別に問題にすべきですが、今の国家公安委員会とか公正取引委員会に認められている程度の職務権限の独立性を認めることは、すべて行政について内閣が責任を負うという建前と別に矛盾するものではないのじゃないかというだけです。

8 国会から直接コントロールをうける形になっていることの重要性

宮沢 ごくわずかな程度の差の問題に帰着するんでしょうが、私は、ちょっとその点が心配になる。とにかくそれでも内閣が責任を負っているのだと言えるとすると、国防会議なんかについて相当な「統帥権の独立」がみとめられる危険がありはしないかとおもいます。「統帥権」にはもうこりしているから、どうもこの点が心配になる。

そもそも行政委員会というものですね。争訟の裁決とか、その他事柄の性質上当然に独立でなくてはならないものは、その限りにおいて、内閣から独立であってさしつかえない。そういう事項については、内閣の「責任」ということが、事の性質上考えられないからです。しかし、そうでなくて、たとえば人事院規則の制定というような作用になって来ると、内閣が全然それをコントロールできない地位にいながら、それについて、責任を負うということは、どうも少し無理になるような気がします。

私は、憲法が内閣に行政権を独占させる意味は、その内閣が国会に対して責任を負うことを通じて、国会が行政権にコントロールを及ぼしうることを保障するにあるとおもう。だから、ある行政作用が内閣の権能に属していなくても、それが国会から直接に何らかのコントロールを受ける地位におかれていれば、それでも憲法の要求は満されるのではないか。だから、ある行政作用が内閣からある程度独立になったら、その限度において、直接に国会にある程度従属することが必要なのではないか、と思うんです。今の人事官の場合は国会が弾劾するという制度がありますが、あの程度で国会の直接のコントロールの下に立つといえるかどうか問題です。もう少し国会への従属性がつよくあるべきではないか、という気がするんですが。……

要するに、争いの裁決とか何とかいう問題でない行政作用について、内閣から独立な地位をみとめる場合には、その内閣から独立な限度において、国会のコントロールが直接にそれに及ぶような道をつくっておくことがいいのではないかと思います。国防会議についてもそうでもしないと、実は相当独立になるおそれがあるので、その点が心配になる……。

田中　ただ、私は、国会がコントロールできる程度のことは内閣のもとにおいて内閣がコントロールできるのではないかと思うんです。

宮沢　むろんそうです。内閣が直接にコントロールするようにする方がいい。

田中　そうする方がいいでしょう。おそらく権限の独立という点を主張する場合には、国会からも、その限りにおいての独立を要求するということになるのではないかと思うのです。

宮沢　内閣からも国会からも独立なんてことになったら、大変だ……。

田中　ほんとうにそうです。ですから、私は、国防会議というようなものができた場合に、例えば国防方針とか防衛基本計画とかいうようなものになると、これは財政その他国内事情と緊密な関係にあるものですから、こういう点については、内閣からの独立ということはあり得ないのではないかと思います。そしてこれは国会が直接にコントロールするというよりは、むしろ一般の行政とにらみ合せて、内閣の責任のもとにやって行くという行き方の方がいいのじゃないか、従って国防会議というものができた場合でも、国家公安委員会とか公正取引委員会とか、そういうものがある程度職務権限の行使の独立を認められているというような意味での独立性は認める必要はないのではないかと考えるのです。

宮沢　ぼくがさっき国会からの直接のコントロール云々と言ったのは、国会が直接にコントロールするのが、内閣がするよりいい、という意味ではなく、国会から直接にコントロールを受けることもなく、たとえば、人事院や公安委員会のように内閣から独立の地位を有し、内閣が、これにコントロールを及ぼすことができない状態で内閣がそれについて国会に対して責任を負うのだと言い切ることは少しむりじゃないか、それだけ内閣から独立にするならば、せめてもうちょっと国会からのコントロールでも強くしないと、憲法の精神から見てまずくないかというのです。

田中　ああそうですか、それは、おっしゃるとおりですね。

(8)　司　法

宮沢　先を急ぎましょう。内閣の問題はこのくらいで、司法の問題に移りましょう。

この点については、第九条を改正する結果として、特別裁判所を設ける問題がある。それから最高裁判所の規則制定権、規則と法律との関係、規則制定権を法律に反しない範囲に限定しようというのです。それから最高裁判所の裁判官の国民審査はやめてしまう。その任命については、選考委員会を設ける。又いわゆる憲法裁判所を認めるものでないことを明確にし、違憲審査については国務行為、条約等についてその限界を明確にする。裁判の公開についてあまり公開の保障が強過ぎるから、少し制限した方がいいのではないか。こういう意見がここに挙げられております。

これらについて団藤君何か……。

1 特別裁判所の問題

団藤 最初に特別裁判所の問題ですが、これは言うまでもなく軍法会議をつくるということだろうと思うのです。

私自身は再軍備反対ですから、その点から根本的に私は反対なのですが、かりにこの要綱案のように軍備を持つということを考えるにしても、はたして軍法会議を司法裁判所の系統から独立につくることが必要か、また妥当かということは相当問題だろうと思うのです。旧憲法の時代でも末弘先生が軍法会議廃止論を主張なさったことは有名なことでして、軍法会議をつくるといろいろな弊害が従来もあったと思うのです。

この要綱案の建前で申しましても、統師権の独立ということは避けて、内閣総理大臣に軍隊の指揮権を持たすというような建前にしている。そういう考え方から申しますと、司法の関係でも軍隊だけの裁判所を別につくる必要はないので、通常の裁判所に裁判さしたらいいじゃないか。草案の立場をかりにとるとしても、その方がすっきりしていると思うのです。

宮沢　軍法会議というものと軍隊とは、実際において不可分の関係にあるのですか。

団藤　不可分ではないと思います。なるほど軍隊をつくれば軍刑法は必要になるかも知れませんが軍刑法をつくるということと、その手続なり、ことに裁判所を別につくるということは別ですね。

兼子　一種の同僚裁判所的な考え方があるのでしょうね。

宮沢　軍法裁判所は設けないというやり方もあり得るわけでしょうね……。

というのは、こういうことがあるんです。日本にいるあるアメリカ人と話したときに、話が憲法の第九条に及んだのです。そして自衛の目的のための軍備はおいても差支えないという改進党の解釈などを話題にしたとき、その人はこういうんです。

今の憲法があらゆる軍隊（自衛のための軍隊も）を禁じている一つの論拠として、特別裁判所を禁じていることをあげることができる。軍隊を置く以上、その軍紀を維持するために軍法会議を置くことが必要である。軍法会議が特別裁判所として禁じられているということは、すなわち軍隊一般が禁じられていることを意味する。だから、改進党の解釈は正しくない。……とこういうんです。つまり、軍法会議を禁じている、特別裁判所を禁じているということは、それだけで軍隊一般の存在を否認する趣旨になる……。

兼子　そういうと、軍隊と徴兵制というものが結びつきがあるのではないかと思う。もし志願制をとれば、志願兵について特別な身分を認め、特別な裁判に服させるというのはおかしいのじゃないか。そうなればやはり一種の法のもとの平等ということの侵害になる面も出て来ると思う。

鈴木 かつての軍法会議は、軍人が普通の殺人をしても、その管轄になったわけですね。そういうのがけしからぬということは、もちろん明らかで問題はない。従って、この点については、たとえば軍の規律というようなものを侵した罪、そういうものについても特別裁判所をおくことが、いけないか、どうかの問題にしぼって考えるべきではないかと思う。

田中 軍の内部的な規律だけの問題で、一般法益の侵害にならないという場合であれば、それは一種の懲罰なんでしょうね。ですから軍内部の懲罰機関を設けることはいいと思う。一般の法益の侵害ということになれば、かりにそれが利敵行為のような場合であっても、また軍人が犯したその他の一般犯罪であっても、当然一般刑罰法の問題として普通裁判所が裁判をする、そういう建前を堅持して行く方がいいのではないかと思います。

鈴木 懲罰という限りでは、やはり制裁の限度があるわけですね。だからその限度を越えるもの、つまり刑罰ならば、やはり通常裁判所の管轄ということにならざるをえない。

我妻 軍の秘密を漏らすというようなものだと、一般人も軍の秘密を漏らすことがあり得るわけでしょう。だから特に軍人がやったときだけ別の裁判をするのかという問題になる。それとは別に、軍人でなくちゃできないという犯罪を考えてみるとどうですか。例えば、戦争のときに前進命令に従わないというような軍律に違反したという問題ですね、これは懲戒になるのですか。

田中 それは懲戒にとどめるとは限らない。やはり刑罰に処するということはあっていいと思います。しかし、その場合の刑罰は普通裁判所の裁判によって科した方がいいという考え方です。

兼子 だから司法警察とか検察権まではなお特別なものを考えることも可能だという余地があると思うのです。

それから特別裁判所というが、軍法会議だけを考えているのですかね。ただそれを可能にするために概括的な表現を用いたのでしょうか。

宮沢 むかしあったような軍法会議が憲法にいう特別裁判所に当ることはたしかだが、それだけではないでしょう。

我妻 行政事件は特別の裁判所にやらせた方がいいという意見もありますか。自由党あたりに……。

宮沢 この案にはそういう意見は出ていませんね。

兼子 もう一つ、特別裁判という観念ですが、それには常置的に特別な事件を通常裁判所の権限からはずしてそれに任せる場合と、非常臨時な裁判所という、たとえばある事変が起った、その事件を処理するための裁判所をつくるような、広い意味の特別裁判所になるか。ドイツではアウスナーメゲリヒト Ausnahmegericht の方は絶対に禁ずるが、これに反して軍法会議はゾンダーゲリヒト Sondergericht だからいいというが、日本の憲法は特別裁判所を設けていかぬということは、両方含んでいると思う。

我妻 その臨時のやつというのは、結局最高裁判所に行けるもの、いいかえると、最高裁判所を頂点としたピラミッドの中に入るものであってもいけないですか。

田中 それは最高裁判所のもとに従属するという形をとる限りにおいては、必ず全面的に禁止されているわけではないだろうと思うのです。

兼子 下級裁判所として、憲法が要求する要件を満たせばいいわけですね。一時的に置いたものだって、法律で設置すれば裁判所といえると思うのです。

田中 たとえば行政裁判所的なものを一審、二審と設けて、最終的に最高裁判所へ行けるような制度をつくることが、現在の憲法のもとにおいてできるかという点になると、若干問題があるでしょうね。

我妻　それはできるのじゃないですか。

田中　私は、行政機関が特殊の問題についての審判をするということは現行憲法で認めているのですが、行政事件は一般的に一審、二審とも行政裁判所へ行くんだという建前にすることになると、通常裁判所が原則的に裁判権を有するという根本の趣旨に反することになりはしないかと思うのですが。

鈴木　そうすると、商事裁判所というようなものをつくることもいけないことになるわけですか。

田中　一般的にというわけではなくて、海事というふうに限定され、特許審判というふうに限定されていればいい。ところが行政事件というのは国の作用全部に及んで来る。そういうもの全部に通じて行政裁判所の所管にする。行政裁判所に一審、二審を設け、行政事件は全部ここで裁判するということになると憲法の精神に反することになるのではないかと思うのです。

兼子　しかし、それは裁判官の任命方法が憲法の命ずるところに従い、人事権を最高裁判所が持っていて、しょっちゅう入れかえをやるというふうなことが可能なら、例えば東京の裁判所が非常に大きいから民事、刑事をわけようとか、行政部をわけて行政裁判所をつくるということは考えられる。

我妻　ちょっと行政裁判所という観念がこんがらかっていやしないか。田中君は行政庁が行政事件の裁判をするという意味でいったのじゃないか。

田中　いやそうじゃないのです。

裁判所という構成をとり、その裁判官については、最高裁判所が任命権を持つということにしても、問題があるのではないかと思うのです。というのは、行政裁判所を別に設けるというときには、誰が任命するにしろ、その資格その他について、行政に関する経験がいるとか、その他異質的ないろいろの要素が入って来て普通の民事裁判所などと違ったものになるのが普通ではないかと思うのです。普通裁判所の中に、民事部、刑事部と並んで行政部を置くという場合と、やはり違うような感じがするんですが。……

我妻　家庭事件は家庭裁判所でやっても、最後は最高裁判所へ所く。行政事件を別にしても、それと同じだといえないですかね。

鈴木　妥当か妥当でないかという問題であれば、普通の事件を取り扱う裁判所よりも、特別な知識経験のある裁判官に判断してもらう方がいいと思われるようなものがあると思う。家庭事件とか、或いは特許事件などもそのような性格をもつともいえるでしょう。だから、行政事件のようなものは、広い範囲の問題を含み、そんな特別の裁判官の判断をまつ必要がないというのなら、それは別問題になるだろうけれども。

宮沢　少し問題が複雑ですね。裁判所を一応別にするということになると、どっちの裁判所へ持って行くかという権限争議の問題が起ることも考えられるし、問題はそう簡単にいかない。またそれが度を越すと、田中君のいった憲法全体の精神に反するという危険も非常にある。……

3　規則制定権

宮沢　今の問題はそれだけにして、あと最高裁判所の規則制定権の問題、これは兼子君どうですか。

我妻　ここに書いてあることは、兼子君の昔の説と同じで、今の説と違うのじゃないか。

兼子　いや昔とちがってはいないのですよ。

我妻　いやしくも法律が制定されておれば、ルールでは定められない、というのですか、それとも、法律でやるべき分野と、ルールでやるべき分野と、両方それぞれの分野がはっきりわかれるというのですか、そこはどうです。

兼子　それが説によっては、訴訟に関する手続であればすべてルールの固有の分野だというのもあるが、私は必ずしもそういうべきではなくて、やはり訴訟法という法律で大綱をきめることはさしつかえないのではないかと思うのです。だから理論的にはやはり法律の方が優先する。

ただ、今までのように法律がすでに全部占めてしまっているから、ルールは入る余地がないということは、運用として妥当でないというふうに考えるのです。ですから、たとえば裁判所は夜開けといって、夜間裁判所に関する法律をつくれば、裁判所内部の開廷時間のことだと言ったって、法律できめれば裁判所は従わなければいけない。

団藤　私も現行法の解釈としても要綱案の通りだと思うのですが、最高裁判所の機構をあまりつつかれるので、規則の方が法律より優位なんだということを最近にいい出した人がいます。ですから、今この際特にこういう規定を置く必要があるかどうかという点は私は疑問だと思う。特に規則制定権も適当に行使されれば、餅は餅屋でいい働きをするのですからこの規則制定権が窮屈なものだという印象を与える。そういう規定をこの際入れることは、あまり賛成できないのです。

兼子　この問題は改正するとしても、あまり末梢的なことではないかと思う。

宮沢　規則と法律とどっちが形式的効力が強いかという問題と、それをこうやって憲法でこの際定めるかという問題とは別ですね。

4　国民審査

宮沢　次の国民審査はどうですか。

これはたいへん評判が悪いようで、この要綱案の考えでも、国民審査制は実質的な意義を持たない無駄な制度だからやめる。ただそれをやめて任命を内閣に任せきりでは、司法の独立の点からも、適任者を得るという点からも、国民との結びつきの上からも不十分であるから、選考委員会を設けるというのです。

国民審査は御承知の通りすでに数回実験されています。今までの経験では、すべての裁判官が文句なしにパスしている。しかもほとんどすべての裁判官に対して投ぜられた投票の数もあまり違わないというところから、いかにも無駄ではないかという批評があるんですね。

鈴木　国民審査制度をやめるかどうかについては、私はやめていいのではないかと思いますが、しかしやめてしまった結果、任命は委員会にはかって政府がやるとしても、一たん任命されると、その後は最高裁判所の裁判官は停年になるまでそのまま居すわっていられるというようなことになると困ると思う。その点についても何か考えているのですか。

宮沢　この案では選考委員会だけですね。

鈴木　そうだとすれば、何らかの方法、例えば任期を限るというようなことでも考えないと困る。

兼子　私は前に法学協会雑誌（六七巻一号）の憲法改正の問題特集の中では、国民審査はやめろという意見を書いたのですが、その後考えを改めて、やはり維持すべきではないかと思っています。なるほど相当の金と手数がかかるのに、それだけの意義があるかということについては疑問があるわけですが、この制度の手本になつたアメリカのミズリー州などの憲法では公選制の修正という形でリコール制が採用されたのに対して、日本では初めからそういう制度をとったため一般人が裁判官の選任ということについて関心が薄いということから、今までの結果が出ることはやむを得ないと思うのですけれども、しかしそれは今すぐ従来の経験だけからこれを投げるべきではなくて、やはり最高裁判所裁判官というものが司法権の頂点を占めるものとして、その地位は民主国家においては主権者である国民自身の直接の信託に任せるのが当然ではないか。従って制度の廃止よりは、むしろ制度を生かす方向に国民を啓蒙するという方に進んだ方がいいと考え直したのです。

団藤　私も全く同感です。

宮沢　国民審査廃止論はありませんかね。

兼子　ただ財政的な見地等からこれにかわる方法を考えるとすれば、国会の議決でかえるというふうなことが問題になると思うのですが、その場合にも、裁判官の地位をなるべく政争に巻き込まれないようにするための慎重な考慮が必要ではないか。

具体的な方法を考えてみますと、たとえば任命後一定年限を経た後、たとえば一年経った後に、しかも衆議院の総選挙があった直後に限って、その内閣が両院の三分の二の多数の同意を得れば、裁判官を罷免できるというふうな考えなので、それは任命後一定年限を限るというのは裁判官の実績を見てから決すべきだという趣旨であり、衆議院の総選挙直後にするというのは、ある裁判の判決が、その時の国会を刺激したからといってただちにその国会で罷免すべきではない。少くとも衆議院の構成が改まらなければ取上げないということによって、そういう政治的な事情のために罷免が行われることの不安を、より少くするという点を考慮した趣旨なんです。

宮沢　田中最高裁判所長官は国民審査は決して無意味ではなく、少くとも国民に裁判、ことに最高裁判所に関する認識を強めるという効果が非常にある、そのためには非常に役に立っているということを強調していますね。

田中　私も、これまでのごくわずかの経験で一旦つくった制度を軽々にやめるという考え方には賛成できないのです。

国民審査制を維持するとともに、裁判官の任命に際して選考委員会のようなものを設けることは、いいことだと思うのですが、これは憲法にきめる必要はないのじゃないでしょうか。ですから、法律の問題として考えておけばいいのではないかと思うのです。

5　選考委員会と国民審査

宮沢　この選考委員会というものは、御承知の通り初め設けられていたのですが、たしかあれは司令部の方の意見でしたかね、こういうものを設けては内閣の責任の点からおもしろくないというのでやめたわけです。今は、最高裁判所の機構改革に関連して弁護士会方面はじめ法制審議会でも選考委員会を設けろという意見が有力なようですね。

団藤　刑法学会でも、会員の中にそういう意見を出している人があります。

我妻　だから、これは国民審査をするか、この方をとるかという二者択一ということではないのですね。

宮沢　これはだいぶ賛成論が多いようですが、しかし何も憲法に書く必要はないでしょう。

我妻　現在でもやればいい。

兼子　ただそれが、以前に司令部で問題にしたように、内閣を完全に拘束するということになるとすると、憲法の認めた任命権侵害ではないかという疑問が起る余地がある。

宮沢　この案が憲法で書くといっているのは、選考委員会の意見が内閣を拘束するという趣旨かもしれませんね。しかし今皆さんが選考委員会は結構だとおっしゃったのは、そういう拘束的意味ではないんでしょう。

我妻　ここに書いてあるその議を経ることとするというのも、拘束することまで考えているかどうかは疑問じゃないですか。

宮沢 選考委員会というものは、この案でどう考えられているんですかね。その内容は。……刑法学会などの御意見はどんなでしたか。

団藤 学会としての意見ではなく会員の意見ですが、だいたい弁護士会案と同じ構想です。

鈴木 国民審査は存続賛成論が非常に多いわけですが、もしそういわれるのであれば、国民審査がほんとうのものになるようにもっと努力をすべきではないでしょうか。今のような状態では、ただ時を稼いでも、別段よくなることはなさそうな気がする。国民審査の制度が単に最高裁判所の存在を国民に意識させるという程度のものにすぎないのならば、ほかの方法でも目的を達しえないではなく、特別の意味はないのじゃないかと思う。

団藤 私はむしろ逆に、この制度は存置すべきだが、あまり働かない方がいいと思うのです。極端な場合にはこれでやめさせることもできるというのがこの制度のねらいで、そうむやみにこれが働いて裁判官がいつでもびくびくしていなくてはならない。そういうようなことになってはいけないと思うのです。

我妻 鈴木君が意味があるようにすべきだといったのも、罷免される者がときどき出なければ意味がないというのじゃないだろう。

鈴木 もちろんおっしゃる通りです。ことにあいつは気にくわないからということで、すぐ×をつけるのは困るのですが、ただ制度を残しておけば格好がつくというようなことでは、おかしなものじゃないかという気がする。

我妻　鈴木君の気持はよくわかる。私も現在のような状態でいいとは思っていない。しかし新聞なんかでも、近頃は最高裁判所の重要な裁判についての取り扱い方が違ってきた。とり上げる事件も多くなってきた。だから、裁判というものに対して国民の認識がだんだん深くなりつつあることは確かだね。ことに憲法違反の法律を無効にする力を持っているということも、新聞の記事などで国民の間によほど知れわたってきた。そして、それは少くとも間接には、国民審査と関係があると思う。だから、この制度もその意味では、現在でも全く無意味だとはいえない。

6　「憲法裁判所は認めない」

宮沢　それでは、次へ行きましょう。

「憲法裁判所を認めるものでない、違憲審査については国務行為、条約等につきその限界を明確にする。」とここにありますが国務行為というのはどういう気持でしょうか。統治行為とか、そういうものを考えているんですかね。

兼子　そうでしょうね。条約とか国務行為とかいうのを出したのは、それらには手を触れない部分があるのだということの意味で、限界を明言するつもりではないか。

宮沢　そうすると、違憲審査とは限らないわけですね。裁判所の審理権一般の限界問題だ。

我妻　たとえば国会の解散決議ということがある。

宮沢　そういうことですね。これはなかなかむずかしいな。

田中　これを憲法に規定することはむずかしいし、またその必要もないですね。むしろアメリカやフランスなどで実際の判例できまって来ているのと同じように、日本の場合にも判例法の発展にまてばいいんでしょう。憲法上規定することがむづかしいだけでなく、これを規定してみたところで、何が国務行為かということになると、これまた問題で、裁判の結果をまつほかないわけです。また最高裁判所は、憲法裁判所でないということをわざわざ規定の上で現わさなくても、これまでの最高裁の解釈でも、大体はっきりして来たわけですし、今後判例を通して明確にされればいいんでしょうね。

宮沢　今憲法裁判所ではないというふうに態度がきまっているところですからね。それをかえようというのでなければ、いじる必要はない。それから公開の問題はどうでしょう。軍事機密なんかにも関連してちょっと……。

7 裁判公開の原則の制限

団藤 これは説明書を見ますと、どうも法廷闘争に対する対策みたいですが、もしこの要綱案のようにしますと、旧憲法よりもっとひどいことになるわけですね。旧憲法では「安寧秩序マタハ風俗ヲ害スル虞アルトキハ法律ニ依リ又ハ裁判所ノ決議ヲ以テ対審ノ公開ヲ停ムル」ことができるとあったのですが、これによるとそういう要件もなく、一切法律に任してしまうのですから、大変なことになります。まあ要綱案もそこまで行くつもりではないでしょうが、それにしても、法廷闘争に対する対策としては、法廷等の秩序維持に関する法律とかいろいろなものがあるわけで、そういうものの運用によるべきです。公開の原則という非常に大事な憲法上の保障規定を動かすということはおかしいと思います。

兼子 私も同感で、ただ民事ですと、当事者双方が公開を欲しないという場合は、例外的に公開を停止してもいい場合も考えられる。むろん刑事はそういうことになると濫用になるから認められないかもしれないが、民事については例えば離婚事件などは当事者が欲しなければ公開しなくてもいいと思う、これはドイツの裁判所構成法では規定があるので、その種の例外をつけ加えることは考えられる。

宮沢　今の憲法の規定の意味が不明確だが、第三章で保障する国民の権利に関する裁判は全部公開でなくてはいけないとなっていますね。しかし、たとえば、被告人自身の保護のために秘密にしなければ困るという場合などがずいぶんある。そういう場合に憲法の規定をひろく解釈するとぐあいのわるいこともあり得る。……強姦事件なんか、秘密にできるんでしょうね。

団藤　それはできますね。

兼子　猥褻図書の事件なんかになって来ると、ちょっと出版犯罪というものと関係して公開を停止できない。

我妻　出版の自由とからむね。

鈴木　今の猥褻事件というものを公開しないという点は、憲法に規定があるわけですね。

団藤　それは憲法の解釈で、第八二条第二項但書の関係で出版に関する犯罪ということになって来ると、絶対公開になるのですが、しかしそれは出版という方法によって行われた場合に初めて犯罪を構成するというような場合に限るので、もともと犯罪になるようなものがたまたま出版の形によって行われた場合はこれに含まないと思います。

我妻　本人が希望してもだめかね。

団藤　それはだめですね。第三七条では、すべての刑事事件については被告人は公開裁判を受ける権利を有する。これは権利の面から規定していますね。ですからこの関係だけでは権利の不行使ということもできるかもしれませんが、しかし第八二条の方は被告人の権利の側ではなくて、司法権行使の公正を保障するという趣旨から来ているので被告人が権利を放棄するということは認められないのではないかと思います。

問題になるのは、刑事でも、たとえば少年事件なんかで本人が公開して欲しくない、刑事政策的にも公開するとまずい、またほかに特に公開を要求するだけの政治的な理由もなさそうだということとはありますね。ですから刑事でも、公開の原則の例外をもう少し認める問題がないかといえば、ないとはいい切れないと思います。しかしこの要綱案はそういう狙いではなくて、法廷闘争対策みたいですから、そういう趣旨でこれを緩めるというのはおかしいですね。

宮沢 それはそうだ。ただ、今の憲法の規定では少し窮屈過ぎるというかそういうきらいはありませんか。

団藤 そうですね。それから宮沢先生がさっきおっしゃったように第二項但書には、ちょっと解釈がはっきりつかない点がありますね。

(9) 財　政

宮沢　それでは司法はそれだけにして。……

財政については、まず予算の増額修正の問題があります。

それから、最も重大な問題と思われるものに、責任支出があります。予算不成立の場合に暫定予算のほかに政府の責任支出を認めて事後に承認を得るものとする。それから又、非常事態において国会召集の不能または余裕のない場合、政府の責任支出を認めて事後に承諾を求むるものとする。……実際上の必要という点だけから言えば責任支出は非常に必要……少くとも便宜な制度だと考えられるかもしれませんが、今の憲法の建前からいうとこれは大きな問題です。

それから「公金その他公の財産の民間団体又は事業に対する支出禁止の規定は削除する」という意見もあります。

1　議員立法の制限

我妻　「議員立法についてはその抑制につき考慮する」というのは、これまた、議員というものがいかにデモクラシイをうまく運営できないものかを自分で認めていることになる（笑声）。その次の責任支出は、非常事態の宣言と同じ問題ですね。

田中　第一の議員立法、とくに予算を伴う議員立法について、しばしば、お土産立法というような批難がありますので、これに対して何か適当な対策を考えるということは必要だと思います。しかし憲法でそれを明記する必要があるかどうかは問題ですね。むしろ国会内部でたとえば予算を伴う議員立法については、予算委員会の方と協議しなければならないとか、あるいはまた、予算提出権が内閣にあるという前提のもとに、その方とも折衝の後でなければならないというような制限をつけることも、今後の問題として考えてよいと思うのです。しかし、憲法でそういうことまで書く必要はないでしょう。

2 責任支出

田中 それから責任支出の問題ですが、これはこの要綱案の全体を通ずる内閣の地位を高め、内閣の権限を強化しようという精神の一つの現われですが、私は、根本の考え方としてこういう考え方に賛成できないのです。やはり現行通り暫定予算で行くという方針を堅持する必要があるのではないかと思います。これまでもそれで支障なくやって来たわけですし、やってやれないことはないでしょう。

次に、非常事態の場合の政府の責任支出ということもこういう場合を予想して規定を整えておく必要はないのじゃないかと思います。

宮沢　予算の不成立の場合、今までとにかく、暫定予算でやって来ているわけですから、特に今こういうことをいい出したのは、何といっても非常事態宣言とかそういうことを頭においているんですね。ですから、第九条を改正するということとの関連から来ているんでしょう。

田中　そうでしょうね。

3　戦時の但書が問題

田中　こういう規定を設ける趣旨が、むしろその但書に重点をおいて、戦時においては、国会の承諾を得る必要がないのだという考え方をとっているものとしますと、それは、もってのほかだと思うのです。戦時においては、一そうそういう点を厳格にして行く必要があると思います。立案者はこの但書に重点をおいて考えているのではないかと想像されるのですが、もしそうだとすると、この趣旨には根本的に反対せざるを得ないんです。

宮沢　これはちょっと昔の臨時軍事費を思い出させる。その意味で特に問題だ。

4　暫定予算に憲法上の基礎はいらないか

兼子　暫定予算について憲法上の基礎を何か明確にするという必要はないのですか。

宮沢　やかましく言えば、憲法上根拠がある方がベターだということは言えるでしょうね。松本委員会で憲法草案をこしらえたとき、この間入江君（最高裁判事）の話を聞いて思い出したのですけれども、不成立の場合は暫定予算という形をとることにして、それがあとで本予算ができたら、それの一部とするとかなんとかいうことをその草案に書きました。形としてはその方が整っているかもしれませんね。そうしないと、不成立の場合の措置について憲法に規定がないということになる。

5　予算の発議（提出）権

鈴木　予算についても議員にも発議権があるという考えがあるのですか。

田中　そうじゃない、予算の提出権は内閣にある。これは憲法上明らかなんです。提出されたものを国会で増額修正をすることができるかという点については、現在多数説はそれはできるという考え方になっています。美濃部先生などは、増額修正というのは国会本来の機能からいっておかしいという考え方だったと思うのですが、現在では、国会の権限をできるだけ広く解釈しょうという見地から、予算の増額修正ということも、当然、認められなくてはならないというのでしょう。解釈上には内閣の予算提出権を侵さない限度においてというべきでしょうが。

宮沢　この案は、政府の同意という条件をつけようというわけですね。

6　皇室財産並びに皇室費用に関する規定の削除等

田中　それから、皇室財産並びに皇室費用に関する規定を削除するとか公金その他の公の財産の民間団体または事業に対する支出禁止の規定を削除するという点についてですが、こういう規定は、憲法の本筋からいって、別にここに規定するほどのこともないでしょうから、こういう規定は削除してもいいのではないかと思います。

ことに経過的措置のような意味合いを持った規定も入っていますから、こういう規定は憲法全体にわたる大幅の改正をするということであれば、その機会に削除して、規定を全体として整備することは別にたいして議論はないのではないかと思います。

7　第八九条削除の問題

――公の財産の支出又は利用の制限――

兼子　この第八九条の規定をみな目のかたきにするけれども、理窟においてはちゃんと筋の合ったもので、私的な教育や社会的事業を国家的なものから分離するという趣旨である。それらは信仰とかイデオロギーという人生観とか世界観に基いてやるので、国家がおせっかいするのは余計なことだということから来ている。日本は国家的事業だけでは充分でないので、こういう民間事業を援助するというような格好で本来は国家でやるべきことをやらせる必要があるというのでしようが、筋としては割切っていると思う。

宮沢 僕も筋は通っていると思う。

ただ、今のお話の通り、日本の貧困が結局どうしてもその規定を生かさない。現に私立学校は、国から補助をもらうことにつき、公の支配を受けるような形になっている。そのくせ実際にその支配を実効的にしないというアンタントがあるという。そういう脱法行為みたいなものがあって、ようやくお茶を濁しているというのが実情だから、今の日本ではぐあい悪いのじゃないですか。

田中 私立学校はあくまで自主独立でやって行くという建前をとるべきで、金をもらうために国家の支配を受けるということにならないように持って行く方がいいんでしょうね。

我妻 だから宗教と教育なんか違うのではないかと思うのですがね。

宮沢 宗教は別ですね。宗教の自由の問題があるから別だ。ただ教育、慈善事業なんかの場合ですね。

我妻 宗教が非常に強い意味を持っている。それと一緒にくっついて来た傾向がないでもない。いやしくも政府から補助金を受ければ自主性がなくなる、とまで潔癖にいえば別ですが、私立大学などは、補助金を与えた上で、不当なコントロールの及ばないような工夫をする他ないじゃないですか、今の日本の実情では……。

宮沢　とにかく現に脱法行為をやってお茶を濁しているのだから、ぐあいの悪いことは悪いですね。しかし、今のお話の通り、規定自身の筋はちゃんと通っていると思う。

鈴木　この点は、規定自体筋が通っているのだから、やはり残しておいて、国家的補助がなくてもやって行けるような社会的地盤の育成を期すべきじゃないかと思います。

8　決　算

田中　それから決算について、要綱案では、今までのように国会に提出するというだけでなく、両院の承諾を得なければならないということを憲法に規定しようとしているのですが、私にはその意味がよくわからないのです。もし承諾が得られなかったら、政府が責任を問われるとか不信任議決があったものとみなすというような意味なら若干意味があり、それだけにその当否が問題になるわけですが、どういう意味なのでしょうか。ただ、現行法のもとでも、単にこれを国会に提出するだけではないので、決算委員会で審査し、政府の責任を問いただして来たわけですから、今ここにあらためて両院の承諾を得なければならないというような規定をする必要はないのではないかと思うのですが。

宮沢　そうですね。結局は国会が政府を監督する問題で、今まですでに持っているいろいろな監督の手段、ことに不信任決議権なんというものを使えばいくらでも有効にコントロールできるわけで、ここで特にこういうことを憲法で規定してもしょうがないですね。

⑽　地方自治

宮沢　それでは地方自治に行きましょう。

地方自治の問題もなかなか近年やかましく、ことに地方制度を改革するというようなことに関連して、憲法に違反するとかしないとか、いろいろな問題が起ったものですから、そこでここに意見が出ているわけです。

ことに府県というような制度を改革する場合に、現在の場合では、依然として府県を地方公共団体として残して、従ってその長、知事は直接選挙をしなければならぬということになっていると すれば、それはどうもぐあいが悪いのではないかというようなところから、この案が出ているようです。「地方公共団体の長を画一的に直接選挙する制度を改め法律の定めるところによって、選出することとする」というのは、その意味だろうと思うのです。

それからあとは、地方自治特別法といったようなものがどうもはっきりしない。その意味をもう少しはっきりさせろというようなことですが、全体としては保守党方面が考えている地方制度の改革というものにとって、現在の憲法の規定がいろいろ障害をなす、その障害を除くという趣旨が現われているようです。

1　地方公共団体その他

田中　現在の地方自治に関する規定は、地方自治を憲法上保障しようとするもので、こういう規定を設けたことは、大変意味があるのですが、解釈上には若干の疑問を残しています。

その一つが、憲法でいう地方公共団体とは何かという問題です。憲法には、「地方公共団体の組織及び運営に関する事項は地方自治の本旨に基いて、法律でこれを定める」と規定されていますが、その地方公共団体という中に、都の特別区が含まれるかどうかが問題となったことがあり、最近また、都道府県が含まれるかどうかが問題になっています。それで、地方公共団体の種類も、地方自治の本旨に基いて法律で定めることにしようというのが要綱案の趣旨のようです。マッカアサー憲法草案の中には、府県市町村の自治を憲法上に保障しようとしていたようですが、日本側の主張で、府県・市町村というふうに具体的に指定しないで漫然と地方公共団体と規定することになったと伝えられています。遠い将来のことを考えますと、府県・市町村と固定して規定することには若干問題があると思いますが、市町村の自治だけでは、ほんとうの地方自治を守ることができないので、地方自治の保障を徹底する見地からいえば、市町村のみならず、府県の自治もこれを保障するという趣旨をはっきり規定しておくのが、一案ではないかとも考えられます。

それから第二に、「地方公共団体の組織及び運営に関する事項は、地方自治の本旨に基いて、法律でこれを定める」という規定ですと、組織と運営だけが、地方自治の本旨に基くというふうにとられがちで、事務とか権限とか財源とかの面は余り考えられていないようになって、真の地方自治を保障することにならないのではないかとも考えられます。これに新らしく地方公共団体の種類をあげてみても、そう大した違いはないわけで、むしろ憲法第九二条の規定は地方自治の一般原則を示す意味で、地方の行政は、地方自治の本旨に基いてこれを行うというように、一般的な規定とし、事務、権限、財源等を含めて、できるだけ広く地方委譲を行うのが、この憲法の精神にそうゆえんであることを明らかにしてはどうかと思います。そして、同時に第九三条に府県知事、市町村長の公選制を規定することにすれば、現在の解釈上の疑問は解消し、真の地方自治を保障することになるだろうと思います。

地方公共団体の組織をどうするかという点については、私は前には、画一的に長の直接公選制を規定するのがいいか、それとも場合によっては、ことに小さな町村などの場合には、議会が長を選挙するというような制度をとることができるようにするのがいいのではないか、ということも考えていたのですが、最近の動きをみていますと知事官選論に現われているように、官選制に持って行こうというような空気がかなり強く現われて来ています。これでは地方自治がこわされてしまいはしないかとおそれるのです。そこで直接公選制を改め、組織は法律をもって定めるとか、地方の実情に即して定めるというような規定の仕方をすると、いきおい中央集権的な方向に進んで行く可能性もあるわけで、それでは地方自治の本旨に反する結果になります。それで現在の段階においては地方の住民も現行の制度にだんだん習熟して来てもおりますし、現行の制度がそう不合理でなく行われるようになって来ているわけですから、将来もこの方針を貫いて行くことが必要なのではないかと思います。そういう意味で、直接公選制を憲法に規定しておくことに意味があるのではないかというふうに考えています。

法律の定めるその他の吏員の選挙ということは、最初から何を考えていたのかよくわかりませんが、これはとくに憲法に規定する必要はないでしょう。

2　地方特別法の住民投票

田中　最後に、一の地方公共団体のみに適用される特別法についての住民投票の制度ですが、これまでの解釈によると今後も随分頻繁に住民投票に付さなければならない法律が出て来る可能性があるので、あまり煩瑣に過ぎるという感じを与えているのだろうと思います。

しかし今後の問題として、たとえば特別市の指定の問題とか、府県の統廃合の問題とかになると、実質的にかなり地方住民の生活そのものにも影響を及ぼしますし府県そのものの存立に重要な関係を持つという問題も出て来ますので、ただ煩瑣だというだけでこの制度をやめるべきかどうか若干問題の余地があるのではないかと思います。

要綱案では、この制度を全面的に廃止するのではなくて、法律で定めるものに限定するということにしていますが、法律で定めるということになると、住民の反対の強そうなものについては、却って、住民投票を必要としないというふうにしてしまうおそれがあるのではないかとも思います。そうなると全く無意味の規定にもなるわけです。

そこで、私は、ある特定の地方公共団体だけに不平等に不利益な扱いをする法律をつくるような場合には、住民投票に訴えなくちゃならないというような、何か一般的な基準を立てて、これに該当する場合には、住民投票によらなければならないというようにして行けばいいのではないかと思います。現在の憲法の趣旨もそういうところにあるのではないかと思われますし、現行憲法の解釈としても、そういう解釈ができると考えています。

宮沢　今の最後の問題は、あるいはこの案の趣旨は、住民投票に付さなければならないものであるかどうかの区別が実際問題として非常に困難ですから、それを明確ならしめるためという趣旨もあるのかと思ったのですが、この説明を見ると、「法律で基準を定め、重要なものに限る趣旨である。」というので、やはりその狙いは制限するという方向なんでしょうかね。

3　住民投票によらず地方議会の議決にかからせる試案

鈴木　その点について、住民投票のような方法によらないで、府県の議会の承認を得ることを要するというふうな考え方はないのですか。

田中　私は前にはそういうふうに改めたらどうか、ということを書いたことがあるのです。ところが、それも一つの方法ではあるんですが、住民投票を何回かやって行くうちに、だんだん地方自治というものに関心を持ち、地方自治の基礎を固めて行く上に役立つという面もあるのではないかと思います。

鈴木　そうすると、さっきの最高裁判所の裁判官の国民審査の意義みたいなものですね。ぼくは、住民投票というのは金がかかるからということで、それをやるチャンスをなるべくしぼって行こうとか、実質的に利害関係がある地域の人たちの意見を聞かないで、国会がきめてしまうというようなことにするよりも、府県の議会の承認を要することにする代りに、なるべくその承認を要する場合を拡げて行った方が、実質的に妥当ではないかと思ったのですが。

(11) 改 正

宮沢 おわりに、憲法改正の問題。

この点では、今の改正手続が国会での三分の二という特別の多数決と同時に国民投票の二つを必要としているというのが少しやかましすぎはしないか、そのどっちか一つを選ぶということでよくはないか、というのがこの案の意見です。国民投票と、三分の二の多数という丁重な国会における手続、この二つを認めているというのは、少し丁寧すぎはしないか、がこの主眼ですね。両方みとめているのは、「外国にも例が少い」と説明に書いてあります。例はないわけではないが、少いことはたしかに少いようです。

それから今度これを改正するというときに、まず現在の改正手続を改めて、しかる後にその全般に移ろうという意見があります。

田中 もう一つ、こういう問題はどうでしょうか。ほかの点では、参議院に対する衆議院の優越性を認めながら、憲法改正という問題になると、両院の三分の二の多数の議決を要するということにしている。これもその手続を慎重にする意味だろうと思うのですが、この点で両者の平等の地位を認めるのがいいかどうかという点についても、若干問題があると思います。

宮沢　それは問題になるでしょうね。

憲法全体として両院制を設け、衆議院に優越性を認めながら、その認める場合を法律、予算、条約、内閣総理大臣の指名というふうに個々に書いたものですから、そこで書いてない場合には優越性がないということになっている。

ところが、はたしてそこまで憲法が考えていたかどうか。これもちょっと問題の場合もある。ことに元来マッカアサー草案が一院だけを考えていたということをあわせて考えると、そこが問題で、少くとも憲法を改正する場合には、それは問題になり得るでしょう。たとえば、こまかい問題で、第八条で皇室が金を使うときに国会の議決が必要であるとあるが、ここでは衆議院の優越性の規定がないから衆議院と参議院とは同等ということになる。ほかの重要な場合に衆議院がその優越性を与えられているのに、こんなくだらない問題のときに同等というのはおかしいじゃないかという疑問も起る。一つの問題にはなりますね。

我妻　今日の座談会で何度も話に出たことですが、この改正手続についても同じことがいえる。

純粋に理論的に考えて、憲法改正手続をどうするか、現行法のものが少しやかましすぎはしないか、という問題なら、あるいはそうかもしれないと考えられる。ところが、現在の憲法を改めるに当って、まず憲法改正の規定だけを簡単にしておいて、それから実質的な改正をしょうということになると、絶対に反対だという気がする。

純理論的に考えると、憲法の改正についてのあるべき手段がもっとゆるやかなものでいいというなら、まずこれをゆるやかにしてもいいではないかといわれるかもしれない。けれども、今憲法を改正しようという人たちの根本の思想には、現行憲法の中に流れている民主主義的なものを逆行させようという気持が相当強く現われている。だから、それと結びつけて、その改正を容易ならしめる手段をとるということになると、絶対に反対せざるを得ない。

(12) 最高法規

宮沢 最後に最高法規の章については、ここに「前文中に国際協力主義を明かにすると共に、国際協力による集団安全保障体制への加入と、国際条約と主権制限の関係を明定する」とありますが、そのうちある部分はすでに前文で述べられています。それからほかの部分は、この説明によると国の安全と防衛という章に入れたいということが書いてあります。ですから結局第九条の改正とも関係して来るのです。

ここに書いてあることは国際協力主義を明かにする、国際協力による集団安全保障体制への加入、国際条約と主権制限……いずれもそれ自体少しも悪いことはないが……。

田中 どこに規定するかの問題はありますが、基本的人権の尊重の精神とか、憲法の最高法規性とか、条約尊重の義務とか、あるいは憲法の尊重擁護の義務などに関する規定は、とくに、これを重視する意味で、たとえ重複することになっても、重みをつけるためにあってもいいのじゃないかという気がしますが。

我妻 どこに入れるかは問題ですね。だが、最後に最高法規という題でそういう根本的に重要なことを書いていることは、体裁としてはあまり感心しないという感じがしませんか。

宮沢 最高法規という規定はそもそも、アメリカの連邦憲法のやつを、向うにおけるほどの理由がないのに、ただ何となく入れたという感じがします。あればあるで一応の説明はつきますが、どうしてもなければならぬ規定ではない。……まあ、この種の規定は大きな原理の規定で、あまり具体的な意味を含んだ規定ではないから、このへんでいいでしょう。

結　論

宮沢　今まで長い間御審議をお願いしましたが、その対象としては、便宜上自由党憲法調査会でこしらえた日本国憲法改正案要綱案を使いました。

これは最初に申し上げた通り、現在自由民主党や、参議院の緑風会方面で具体的に考えている憲法改正案の内容を表わしていると考えられますので、これを基礎にして御審議願ったわけです。もちろん改正が問題になる点はこれに尽きるわけではなく、今までのお話の間にも、この調査会の要綱案以外の論点にも触れられました。

一番最初に皆さんから御発言がありました通り、今日本の憲法を改正することについては、よほど慎重に考えなければいけない。ことに憲法に盛られている民主主義の原則がここで少しでも動揺するというようなこと、ましてこれが逆行するというようなことがあってはたいへんだ、という意味の御心配の御発言がありました。

こういう意味で憲法改正はこの際よくよく慎重に考えなければいけないというのが、皆さんの共通の御意見のようです。ただ現在具体的な改正意見が有力な政党から出ているのですから、それについて客観的な立場から批判することは、実際的にも理論的にも有意義なことだろうと考えて、この座談会を催した次第です。

〈附録一〉

自由党憲法調査会

日本国憲法改正案要綱案

一 日本国憲法改正案要綱

前文

天皇

国の安全と防衛

国民の権利及び義務

国会

内閣

司法

財政

地方自治

改正

最高法規

前　文

一、わが国が独立回復により、わが国の歴史と伝統を尊重し、国民の意思に基き、自主的憲法を確立する旨を明かにする

二、国権は国民に発することを明かにし、国民の自由と権利を保障し、社会の安寧、民生の向上を念願して、民主主義、平和主義、人権尊重主義を基調とする国家の繁栄、福祉国家実現の理想を掲げる

三、世界の平和、人類文化の発展に寄与せんとする国際協力の態度を宣明し、これが為には、一切の侵略戦争を放棄し、他国民の自由に干渉することなく、国際法規を遵守し、互恵平等を条件として国際的平和の組織並に集団防衛体制に参加する旨を明かにする

天　皇

一、天皇は日本国の元首であつて、国民の総意により国を代表するものとする

二、天皇は内閣の進言に基いて憲法に定める行為を行い、内閣がその責任を負うものとする

三、天皇の行う行為に左の諸件を加える

㈠ 予算の公布

㈡ 国会の停会

㈢ 宣戦講和の布告

(四) 非常事態宣言及び緊急命令の公布
(五) 条約の批准
(六) 国務大臣及び法律の定めるその他の官吏の任命状、並びに大公使の信任状の授与
(七) 外国大公使の信任状の受理
(八) 大赦、特赦、減刑、刑の執行免除及び復権
四、皇室財産の規定は法律に譲る
五、憲法改正の発議に天皇の認証を要するものとする
附　皇室典範を改正し、女子の天皇を認めるものとし、その場合その配偶者は一代限り皇族待遇とする。但しその場合摂政となることを得ないものとする。

国の安全と防衛

一、「国の安全と防衛」に関する一章を設け、戦争放棄は前文中に宣明すると共に、国力に応じた最少限度の軍隊を設置し得るものとする
二、軍の最高指揮権は内閣を代表して内閣総理大臣におき、国防会議、軍の編成、維持、戦争並に非常事態の宣言、軍事特別裁判所、軍人の政治不干与並に権利義務の特例等軍事に関する最小限の規定を設ける
三、国防に協力する国民の義務並に戦争又は非常事態下における国民の権利義務の特例については別途考慮する

二　国民の権利及び義務

一、基本的人権の主要なるものを各条に列記してその保障の原則を明示する
二、各条に列記したものその他の基本的人権は社会の秩序を維持し、公共の福祉を増進するため法律を以つて制限し得る旨を規定する
三、全般に条文を簡略にし、殊に刑事手続に関する規定の一部を刑事訴訟法に譲る
自白の効力並に黙秘権行使の限界につき再検討する
四、旧来の封建的家族制度の復活は否定するが夫婦親子を中心とする血族的共同体を保護尊重し親の子に対する扶養および教育の義務子の親に対する孝養の義務を規定すること。農地の相続につき家産制度を取入れる
五、国防の義務、遵法の義務、国家に対する忠誠の義務を規定する
六、国民の幸福な生活実現のため、国家経済の発展に協力する義務を規定する

国会

一、国会は国権の最高機関である旨の規定は改めるものとする
二、国会議員は国民全部の代表であることを明かにする
三、二院の異質性を明かにするため参議院は選挙された議員と推薦された議員とを以つて組織することを考慮する

四、衆議院議員選挙につき小選挙区制の採用、参議院議員選挙につき間接選挙制の採用、全国選挙区制の廃止を考慮する（選挙法改正と関連）
五、参議院議員の任期を改める
六、法律案等の自然成立の期間を短縮するものとする
七、解散の根拠を明かにすると共に必要な制約の方法を講ずるものとする
八、審議の慎重を期するため停会を認めるものとすると共に必要な制約の方法を講ずるものとする
九、不信任案提出につき提案の定数、表決に何等かの制約を加えるものとする
一〇、通常国会の会期を短縮すると共に臨時国会召集要求の制約を厳にし、要求あれば一定期間に召集しなければならないものとする（国会法改正と関連）
一一、戦争及び非常事態の宣言については国会の承認を要するものとする

内閣

一、行政権はすべて内閣に属することを明確にする
二、内閣総理大臣その他の国務大臣は、文民でなければならないという要件を、現役軍人を排除することに改める
三、内閣の権限に、法律案並に憲法改正発議案の提出及び国会の召集、衆議院の解散、国会の停会、並に栄典授与の決定を加える

四、内閣総理大臣は、内閣を代表して軍隊を指揮するものとする
五、戦争及び非常事態の宣言、国防会議及び軍の編成維持の事務を内閣の権限とし、戦争及び非常事態の宣言には国会の承認を要するものとする、国会の召集が不可能な場合の措置につき考慮すること
六、国会の閉会中、緊急事態に際して内閣は法律に代るべき命令を出し得ることとする。この場合は次の国会においてその承認を求め承認を得られなかつた場合は将来に向つて無効とするものとする
七、条約の締結について、国会の承認を要するのは、立法権、予算審議権など国会の権限に関係のあるものその他政治的に重要な条約に限るものとする
八、国務大臣の訴追されない特典については、内閣総理大臣を含み、訴追のうちには逮捕を含むことを明かにする
九、国務大臣の用語を統一することと及び大臣の呼称につき考慮する

司法

一、法律により特別裁判所を設置することができるものとする
二、裁判官は良心に従い、独立してその職権を行い、憲法及び適法な法令にのみ拘束されるものとする
三、最高裁判所の規則制定権は法律に反しない範囲に限定されるものとする
四、最高裁判所裁判官の国民審査制はこれを廃止するものとする
五、最高裁判所の長官その他の裁判官の任命については、司法の独立性と裁判官の適格性を確保する趣旨から詮

衡委員会の如きものを設けて、その議を経ることとする
六、いわゆる憲法裁判所を認めるものでないことを明確にし、違憲審査については国務行為、条約等につきその限界を明確にする
七、裁判公開を停止し得ない場合を法律によるものとする。

財　政

一、予算の増額修正については、政府の同意がなければ発議できぬものとし、新たに国庫の負担をもたらす議員立法については、その抑制につき考慮する
二、予算不成立の場合の処置として、暫定予算の外に政府の責任支出を認め、事後に国会の承認を得るものとする
三、予算も公布するものとする
四、皇室財産並に皇室の費用の規定は削除する
五、公金その他公の財産の民間団体又は事業に対する支出禁止の規定は削除する
六、決算は国会に提出して両院の承諾を得なければならないものとする。但し戦時において軍機保持のため毎年決算を検査確定することが困難な場合の措置を考慮する
七、非常事態において、国会召集の不能又は余裕のない場合、政府の責任支出を認め、事後に国会の承諾を求めるものとする

地方自治

一、地方公共団体の組織及び運営に関する事項のみならず、地方公共団体の種類も、地方自治の本旨に基いて、法律でこれを定めるものとする

二、地方公共団体の長を画一的に直接選挙する制度を改め、法律の定めるところによつて、選出することとする。法律の定めるその他の吏員の選挙に関する規定は、之を削除する

三、一の地方公共団体のみに適用される特別法でその地方公共団体の住民の投票に付さなければならないものは、特に法律で定めるものに限定するものとする

改正

発議権を内閣にも認めることとし、特別多数決と国民投票はその何れかの一によることとする。現行憲法の改正手続に付ては、特別に考慮するものとする

最高法規

前文中に国際協力主義を明かにすると共に、国際協力による集団安全保障体制への加入と、国際条約と主権制限の関係を明定する。

二　日本国憲法が全面改正を要する理由

一、制定の時期が、敗戦による外国軍隊の占領下という異常な状態で国民の自由な意見発表も許されず、ポツダム宣言の「日本国民の自由に表明せる意思」は見られず、したがつて同宣言に関する連合国回答にいわゆる「日本国政府の形態は日本国民の自由に表明せる意思により決定せらるべき」状況になかつた。

二、原案は、日本の実情にうとい、少数の外国人によつて、早急の間に起案され、天皇の一身上の安全を条件に最後通牒的に受諾を強要された。

三、制定の手続において、帝国憲法改正の形式をとつているが、それは事実に反し、論理にもとり、しかも帝国憲法自体の明文にも違反している。

四、右のような事情から、その内容とするところも、敗戦の確認、不侵略の誓約といつた意味合のものや、明らかに、日本の弱体化を第一義とし、憲法本来の使命たる国民の幸福、国家の発展を第二義的に考えたと思われるものを含んでいる。

五、日本の軍国主義や封建性の否定のために設けられた規定で、単なる過渡的意義を持つにすぎず、今日にして見れば、無意味なものや、中には行きすぎ、不合理を露呈しているものも多い。

六、最初から日本の国情を無視したもの、あるいは、その後の内外の情勢変化で、実情に添わなくなつたもの、運用の経験から改正を必要とするものが少なからず存する。

七、明白な字句の誤り、矛盾、重複も少なからず発見され、全体として文体があまりに翻訳調で、独立国の憲法たるにふさわしくない。

三　日本国憲法改正案要綱説明書

前　文

前文はかならずしも憲法に不可欠のものではないが、明治憲法にも上諭があり、外国の例にも多いので、もし置くとすれば、全面的に書きかえることが必要である。現行憲法の前文は、「ポツダム宣言の受取証」といわれるほど、敗戦国としての誓約や、反省の言葉に満ちていて憲法の前文たるにふさわしい国家の理想や、民族の気魄が盛られていない。

当時としては、やむを得なかつた事情も諒解できるが、今日われわれが、占領憲法を改めるに当つては、はっきりと、独立回復により、日本国民の意思による、自主憲法を確立する趣旨をうたうべきである。

この場合も、天皇主権の旧体制へ復帰するものでないことを明らかにするため、国権が国民に発すること、ならびに民主主義、平和主義、人権尊重主義の理想は明示する必要がある。

さらに、現行憲法第二章に規定されるものの中、侵略戦争放棄の平和宣言は、その性質上これを前文の中にとり入れ、あわせて、国際協力による平和保障の体制に参加する旨を宣明することが望ましい。

天皇

象徴という意義不明瞭な天皇の地位をより明確にすると同時に、過去に体験した天皇政治に伴う弊害に陥らないよう配慮し、他方、国民の精神的拠り処としての要望に応えようという趣旨より、天皇の地位と権能について再検討を加え、日本の歴史と国民感情を尊重しながら近代国家としての民主主義的諸要請を法制化すべく試みた。よつて、試案においては独立国家としては当然欠くことのできない国の代表者としての元首の地位に、国民意志の顕現に基き、天皇を置くことにし、その行為はすべて内閣の進言に基いて行い、その責はすべて内閣が負うことにしたのである。すなわち、ここに言う元首とは、国を形式的に代表する者という意義を有するに止まり、主権とは何等の関連的意義を有するものではない。この点明治憲法第四条に規定する主権者としての元首とは本質的に異るものである。

「象徴」の語句はマッカーサー司令部によつて案出されたもので、英国の王冠、又は、各国の国旗等のように、物を指すのを普通とする点において、人間天皇の地位を規定するに当つて不適当であると思われる。

「進言」の語句は、「助言と承認」という翻訳語のもつ表現力よりも、日本語として適切であるのみならず、国の代表者たる天皇に対する尊敬の意も含まれ、かつ又、進言する者（内閣）の、進言される者（天皇）に対する政治的主体性をより明確に表現するものと思われる。

天皇の行う国事行為は、「この憲法の定める行為」としてこれを規定し、その実質的決定権は内閣の権限としてこれを規定し、法文上、明確にすることにした。従つて、その行為は、実際にあつては形式的、儀礼的であることは明白であるので、「認証」という語句は、日本語としても、法律用語としても適切でないので、これを使用しないことにした。これによつて、現行第六条と第七条列挙事項との本質上の区別は無くなるわけである。

新憲法において列挙せられている天皇の行為の中、国を代表する元首として条約の批准、又は、大公使の信任、及び、外国使臣の接受等は、当然、認めなければならないと考える。尚、内閣の権限の改正に伴つて、宣戦講和の布告、及び、非常時態の布告等も、当然加えられるべきものと考えられる。憲法改正においても天皇の行為は明かにされるべきである。

軍の最高指揮権は内閣総理大臣に置き、政治に対する軍事の従属を明かにして、いわゆる統帥権の独立の弊害は、厳に防止することにしたが、政党の総裁たる内閣総理大臣に軍の最高指揮権が帰することに対し、政局の変動により軍に不安、動揺を与えるおそれのあることを考慮して、天皇が軍の名誉的地位にあつて、その精神的中心になるような構想も主張された。

その他の天皇の行為の追加は、悉く、内閣の権限の改正に伴う形式的規定である。

皇位継承については、皇室典範第一条を改変し、皇男子なき場合は皇女子がこれを継ぐものとする。皇女子が皇位を継承する場合におけるその配偶者は一代限り皇族待遇を受けるものとし、摂政となることができないこととする。

国の安全と防衛

現在の第二章戦争放棄の宣言は前文に移すことにして、別に一章設けて、国家の安全と防衛に関する規定を置く。実質的には、現在の第九条第二項削除とたいした差異もなく独立国として自衛のための最少限度の軍隊を持ち得ることは当然であり、これを憲法で禁止することのナンセンスを是正したまでである。第九条第一項と第二項との間の矛盾―第一項では「国際紛争解決の手段としては」と明確に条件をつけて、戦争放棄を述べ、正当なる自衛権を認めていながら、第二項で、「一切の戦力は保持しない」と自衛のための戦力も否定している……については、立法当時から政府もこれを認めざるを得ず「自衛権はあるのだが、この際その自衛権の行使も慎しむという意味」と、敗戦者のやむを得ざる立場を述べている。

この点は、去る八月パリの国際比較法学会に出席した高柳賢三博士の談話にもあるが、(十月七日毎日)世界の法学者のもの笑いの種になるような規定を、独立後まで残しておく必要はないと考える。

ここではただ憲法の不合理を是正して自衛のための軍隊を持ち得るようにするというに止まり、現実に再軍備するか否か、また現在の自衛隊が憲法に違反するか否かには触れない。

自衛のための軍隊を置き得ることにすれば、それに伴う諸規定が、憲法に必要になり、自衛戦争並に非常事態(戒厳)についての規定も、それぞれの章に加えられなければならない。

国防に対する国民の協力義務については、戦争の惨禍なお生々しい国民の感情を考慮して、兵役の義務は、これを避け、志願兵制度をたてまえとして「国防に協力する義務」という程度の規定にとどめた。

国民の権利義務

基本的人権または自由権の保障については憲法の規定をまたない当然のことであるとの説があるけれども旧憲

法も現憲法もまた外国憲法の多くの例に見ても主要なる自由権につき、明文を以つて、その保障の原則を明かにしているので、試案においてもその例に倣つた。

基本的人権につき、自然法説または天賦人権説をとる学者中にある種の基本的人権は法律を以つてしてもこれを制限することができないと説くものがある。しかし天賦人権説は旧時代の法律思想であつて、現代の国家にして法律を以つてしても基本的人権を制限することができないという法律思想を採用している国はその例を見ない。

現行日本国憲法のこの点に関する規定はすこぶる曖昧であるため法律上政治上幾多の問題が生じている。基本的人権保障の規定中公共の福祉の制約を認めているのは第十三条、第二十三条などであつて、その他の権利及び自由については制約の規定がない。しかし制約の規定のないものは法律を以つてしても制限することができないという反対解釈は一般に是認されていない。立法の実例に於ても、たとえば自由権の典型である第二十一条の表現の自由についてもあるいは第二十八条の労働権について、憲法上制約の規定がないにも拘らずこれを制限する法律が制定されているのである。然し憲法の規定が区々になつていることは、解釈上の疑義を生じ、政治上、裁判上の紛糾の原因となるから、規定を統一する必要がある。

第十一条と第十二条とは基本的人権の通則のような規定であるけれどもその意義が明瞭を欠き法規というよりも国民の心構えを示したものの如くである。殊に第十一条の読み方によつては、法律を以つてしても制限し得ないかのような解釈を与えるし、又第十二条の自由および権利と公共の福祉との関係も、単に国民の心構えを訓示したものか、法律による制約の根拠を与えたものか、意義不明瞭である。かような解釈上疑義多き通則は之を廃止して、基本的人権と公共の福祉との関係を簡潔明瞭に規定すべきである。

旧帝国憲法は一般に法律による制約を認めていた。外国にもその立法例は多いけれども、これでは法律という形式さえふめばいかなる場合にも、いかなる制限もなし得ることとなつて弊害を生ずる。

又基本的人権制限の法律の憲法違反か否やを判断することが、裁判所の権限からはずれることとなる。故に形式の外に、制限し得る場合を憲法に規定しておく必要がある。また公共の福祉のためであつても政府の命令などで勝手に制限することはこれまた弊害があるから、制限の形式は法律に限ることとする必要がある。

かように制限し得る形式と内容を明かにすることによつて、裁判所が、此の点の憲法違反問題を取上げる根拠が生ずるのである。

いかなる場合に基本的人権を制限し得るかを各条毎に具体的に規定することは、立法技術上極めて困難であるばかりでなく、憲法の規定が著しく冗長となる点がある。

よつて抽象的に一括的に規定する外なく、試案の如く「社会の秩序を維持し公共の福祉を増進するため」とするのが適当である。

この規定の体裁は大体に於て新しい各国の憲法または世界人権宣言、米州人権宣言などと、その規を一にする所である。

現行憲法の第三章の規定は概して細目に亘りすぎまた重複したものも少くない。又道徳的宣言、あるいは希望の表現に過ぎない規定も少くない故に之を整理して、国家の基本法たるにふさわしいものとする必要がある。ことに第三十一条以下人身の保障に関する規定は、その性質上刑事訴訟法に譲るのが適当と考えられるものが少くないから適当に整理すべきである。

第三十八条第一項は所謂黙秘権を一般に認めたものと解されているが、これがため裁判の迅速なる運行に多大の弊害を与えているのである。

この規定は米国の制度に倣つて制定されたものであるが、米国憲法では、「何人も刑事々件に於て自己に不利益な証人となることを強制されない」と規定しているのであつて、偽証罪の適用を前提とした狭い規定であるのに、わが国では不当に拡大した規定の形式になつたため、幾多の弊害を生じているのである。

同条第三項の「自己に不利益な唯一の証拠が本人の自白である場合には有罪とされない」という規定も、広きに失してむしろ弊害が多い。英米法のアレーメントの制度は、これによつて極めて多くの刑事々件を簡単に片付けているのであるが、わが国ではこの憲法の規定あるが故にさような簡単な処理ができない。又この自白の中に、公判廷における自白を含むかどうかについて解釈上疑義多く、米英両国では含まないことになつており、わが国でも最高裁判所の判例に同旨のものがあるが、明文の規定に反する嫌がある。

右のようなわが国の実情にも適せず、外国にも例のないような行過ぎた規定は、再検討して改正する必要がある。

家族制度の問題については、憲法改正と関連して、とくに論議が多い。

占領軍は憲法第二十四条と、民法の改正によつて、わが国の家族制度に根本的変革を加えた。これは日本の弱体化という、占領政策の線に副つて実行したものである。然し、わが国の従来の家族制度には、人権尊重の立場から反省すべき点があつた。家長の権限が強大であり、又女子の地位の低かつた点などは、改めるのが正しいから、憲法改正に当つても、これ等の封建的色彩は、復活すべきでない。

然しながら現行の憲法と之に基く教育方針が極端な個人主義の立場から、家族という観念の抹殺を図つたのは行過である。

夫婦親子を中心とする家族は、人間性に由来する血族的共同体であつて、健全な社会構成のため保護尊重すべきである。現行憲法では夫婦関係についてのみ相互協力の義務を規定し、親子関係については親の子に対する教育の義務を規定するのに止まり、相互扶助のことは挙げて民法に譲つているのは妥当を欠く。親の子に対する扶養と教育の義務については問題がないが、子が親に対する尊敬と、老後の扶養については、今日学校教育その他に於て著しく軽視され、時としては否認されている。生活力を失つた親は幼子と同じく弱者である。社会保障によつて全部の老人の老後の安泰を期することは、経済力の貧弱なわが国状の許さざる所である。憲法に子の親に対する孝養の義務を規定して、人倫の大義を明かにすべきである。一九四八年合衆国を含む北米、中米、南米二十数ヵ国の共同に成る米州人権宣言中、「親は未成年の子を養う義務がある、子は親を尊敬し、必要に応じ扶養しなければならない。」という一条がある。自由主義、個人主義の本拠である米大陸諸国家の人権宣言にこのことあるは注目すべきである。

相続については憲法第二十四条によつて均分相続制を採用することになつたのは原則として是認し得るけれども、今日既に一戸当り耕作反別の極めて低位にある農村に於て、遺産の平等分配によつて、農地が更に零細化されることは農家経済の存立を危機に陥れるものである。一部の人々は、法律上均分相続といつても、事実上は相続権の拋棄によつて弊害の発生を防いでいるから改正の必要なしと主張している。論者もこれ以上の農地の細分は避くべきであるという点では見解が一致しているのである。農地相続紛糾は既に相当甚しくなつているのであつて、自発的権利拋棄に期待し得るものには自ら限界がある。

わが国のように農地の細分化されている国は外にないのであるが、それにも拘らず農地の細分化を防ぐため憲法で家産制度を認めている国は十七ヵ国もある。この外に普通の法律で家産制度を認めている国もあるのである。これ等の国では農地の一定面積以下のものを世襲財産として法律上特別の取扱をしているものが多い。わが国でも憲法で均分相続の例外として農地の家産制度を認めその内容は法律で規定することとすべきである。

現行憲法は国民の権利を多く規定し、義務については納税の義務など僅かに存するのみである。かくの如き権利偏重の憲法は外国にも多く例を見ざる所であつて、要するに個人主義を強調して、国家の弱化を企図した結果に外ならない。少くも右に列挙した国民の義務を新たに加える必要がある。

旧憲法の兵役の義務を削除したのは第九条の武装抛棄の結果として当然であろうが、外敵の侵入等の場合之を防衛することは国民の当然の義務であるから国家防衛の義務はこれを憲法に明記すべきである。外国の憲法は大部分防衛の義務又は兵役の義務を規定している。ソ連邦その他の憲法では国家防衛の義務の外に兵役の義務を併せ規定している。

遵法の義務は法治国家特に民主国家に於て、国民の重要なる義務であるから、多数の国の憲法と同じく遵法の義務を明記すべきである。国民は国家に忠誠であるべきであり、祖国に反逆するようなことをすべきでないことは当然である。しかるに、日本国憲法の制定と同時に刑法を改正し、国家の安全を害するような反逆行為を処罰する規定を削除したのである。かくの如きは国家の本質に反する不当の改正であるから、憲法上軍備を認め自衛戦争のあり得る法意を明かにすると同時に、忠誠の義務を規定し、反逆罪等の刑罰規定制定の根拠となすべきである。外国では憲法自体に反逆罪を規定している国が非常に多いけれども、憲法では忠誠の義務として包括的に規定するのが適当である。

わが国の政治上経済上の最大の問題は、資源と人口の不均衡を克服し、すべての国民に職業と生活資料を与えることの一事に存する。

現行憲法では、すべての国民に幸福追求の権利を認め、健康で文化的な最低限度の生活を営む権利を認め、その能力に応じてひとしく教育を受ける権利を認め、国に対しては、すべての生活部面について、社会福祉社会保障及び公衆衛生の向上および増進に力むべき義務を課し、要するに文化国家福祉国家の理想が遺憾なく表現されている。然し之を実現するには、国家の財政と国民経済全体が発展し豊かになることを前提とする。然らば理想実現の手段として、国民は、公務員たると産業人たると労働者たるとその他の職にある者たるを問わず、各自の職域を通して国家経済の発展に協力すべきことは当然の責任である。

国会

国会の条項で、第一の問題は、参議院のありかた、とくに、二院制の本質からみて、その構成・権限に再検討が加えられなければならぬということである。

両院の異質性ということから、予算・法律案・内閣総理大臣指名等について、衆議院に一層の優越を認めるかわりに、参議院に、人事承認・条約批准等の特別の権限を与えて、その中位性・安定性に応えたらどうかという意見もあつた。

構成の上で、現在の全国選挙区制をやめて、一部推薦制または間接選挙制を考えようという意見は圧倒的である。この場合の具体的方法については、選挙制度調査会議案などが参考として考慮された。選挙制度については、衆議院の小選挙区制は理論的根拠からも政界粛正の意味から強く主張された。これは選挙法改正の問題であるが、憲法が選挙に関する事項をはじめ両院の定数、議員の資格等を法律に譲つて、任期のみを定めているのはおかしいし、参議院議員の任期を六年としたのは、解散のある、衆議院との比較の上からも、また変転の激しい現代の諸情勢からも長すぎるとの意見が多く、同時に推薦議員を認める場合にはその任期につき別途考慮の要があるとの意見があつた。

議院内閣制の根本問題については、慎重に論議されたが、内外学者の意見、民主政治先進国の実例、日本における明治以来の先例と政党政治の実現等を考量した上で、国政の能率的遂行のためには、二大政党対立の下における議院内閣制の円滑なる運営が望ましいという前提の下に、国会と内閣との関係の調整が検討された。

その意味で、日本の政党の現状等からすれば、ある程度、内閣に強力な権限を持たせ、政治の安定と、能率性を考慮することが必要であるとの結論に達した。試案において、衆議院解散権が内閣にあることを確認し、(但し乱用防止の制約を考慮する)不信任決議にある程度の制約を加え、新たに国会の停会制および緊急命令を認めたのはその趣旨からであり、法律案等の自然成立の期間を短縮し、通常国会の会期を短縮し、臨時国会の召集に制約を設けようというのも、政府が国会に手をとられすぎる弊を救おうとするものである。

その他、国会の現状にかんがみ、国会の粛正浄化、議員の品位向上につき世上いろいろの提案が行われているが、その多くは、選挙法・国会法に関するものである。試案においては、国会議員は、国民全部の代表であつて、選挙区その他一部の代表ではない旨を明定したこと、および国会は国権の最高機関であるというソ連系諸国にのみ見られる独裁制的規定を省くこと、および、財政の項において、予算の増額修正ならびに予算を伴う議員立法を抑制することなどが、その意味からも役立つところがあるであろう。戦争および非常事態（戒厳）の宣言について国会の承認を求めるのは当然であるが、国会招集の不可能な場合や、その余裕のない場合の措置を考慮する必要がある。また、非常事態宣言が独裁や革命の手段として利用されることのないように、その条件・効果・手続等を憲法に規定し、要あらば国会の常置委員会のごとき制度を設け、これに諮ることも考慮すべきである。

内閣

議院内閣制と大統領制との優劣についても、検討が加えられたが、日本においては、政治が、円滑に運営されるには、過去における経験からも、天皇の存在する事実からも、議院内閣制の方が適しているとの結論であつた。これを前提とし、政治の安定と能率を得るべく考究した結果、試案においてはある程度、内閣の権限の強化を見たことは、国会のところで述べたとおりである。総理大臣の閣僚任免権についても、それを抑制する意見もあつたが、日本の政党の現状では、これを国会の承認にすれば一そうの弊害を招くおそれがあり、小党分立の場合のことも考慮して、試案ではこれに触れないことにした。

内閣の権限と天皇の国事行為との関係で、たとえば衆議院解散、栄典授与、外国大公使接受等、現行法に不明確ないしは不合理の箇所があるのを改め、天皇の行為の中、儀礼を除いては、その実質的決定権が、ことごとく内閣にあることを明かにした。

「行政権は、内閣に属する。」という現行第六十五条は、立法権の第四十一条、司法権の第七十六条に比べて表現不十分で、人事院各種行政委員会のごときものが、内閣の管轄に入るか否かで、常に問題になつているので、明確に行政権はすべて内閣の権限と責任に属することにした。

軍事に関しては、これを行政の一部として、政治の優越性を明確にし、軍隊の指揮権は、内閣を代表して内閣総理大臣に置くが、政変等による国防方針、防衛基本計画等に不安を与えないため、憲法上の機関として国防会議を設け、その安定と永続性を保障することにした。

また、旧軍閥排除のための経過的規定であつた第十六条の文民規定は、これを改めて、現役軍人の政治不干与を明定することにした。その他の軍事々項は、極く一般的なものである。

緊急命令の制度は、現行憲法制定当時日本側の主張を占領軍司令部が頑強に拒否して、これを置かせず、衆議院解散中のみ参議院の緊急集会を認めるという世界に例のない形になつているのを通常の例にならつたのにすぎないが、これが濫用を防ぐために、たとえば国会に常置委員会を設けてこれに諮る等慎重を期する措置が必要である。

条約の締結と、国会の承認については、現行法の不明確を改めると共に、さして重要でない事務的協定については、外国の例にもあるとおり、国会の承認を要せずとして、従来にしばしば問題の種になつた点を解決した。

その他、内閣総理大臣の指名、議決を一段階にすること、この場合の国会議員たることは指名の際の資格条件か在職条件か、同様にその他の国務大臣の過半数についても、この点を明かにすること、総選挙後最初の国会で必ずしも総辞職せずとも信任を求めることにしては如何等の意見があつた。

司法

日本国憲法の大きな特色の一つは、司法が、立法、行政から完全に独立して、法令、処分の違憲審査をなし得る点にあり、これは試案においても維持して、独立の憲法裁判所は認めないこととするが、第七十七条の規則制定権が、立法権を侵し得るという解釈は排する。

最高裁判所裁判官の国民審査制は、実質的な意義を持たぬ無駄な制度として、これを廃するが、その任命を内閣に任せ、長官を、内閣の指名により天皇の任命にまつというだけでは、司法の独立の点からも、適任者を得るという点からも、国民との結びつきの上からも、不十分であるということで、詮衡委員会の採用を考えた。

公開裁判制が、悪質な法廷戦術に利用されて、神聖なる裁判権の行使を妨げているのを是正するため、第八十二条の例外の制限を法律の基準に任ねる。

特別裁判所否認の第七十六条第二項も、軍事裁判所設置の要請で削除を要する。その他違憲判決の効果についても、個々の事件に限定するという通説に対し、一般的に法令処分を無効とするとの説もあるので明かにする要があるとの意見があつた。

財政

予算の増額修正、および予算を伴う議員立法については、とかく一部の利益のために悪用されるおそれありとして、国会の不信、政治の腐敗を防ぐ趣旨から、その制限または禁止が一般にやかましく説かれており、この点は外国憲法の例からも、うなずけるところであるが、これを政府の拒否権とするか、同意権とするか、再審議の要求権とするか、あるいは、発議または採決に制限をおくかは、国会の立法権および予算審議権尊重のたてまえから論議があり、慎重に決することが必要である。

予算が成立に至らない場合や、非常緊急の場合政府の責任支出については、趣旨において反対もなく、現実の問題として、その必要も認められるが、濫用に流れないための制約は考慮さるべきことが主張された。

決算を国会に提出するという現行法を一歩進めて、両院の承諾を要することにするのは、とかく放漫、無責任になりがちな国費の計理に対し、政治的責任を加重しようというねらいである。

予算の公布は当然であり、皇室財産を国に属せしむる規定は厖大なる帝室林野を国有にするための経過的なもので、今日では存続の意義なく、公金を民間団体や事業に支出禁止の規定も、日本の実情に副わない規定であるから削除すべきである。

地方自治

地方自治が、民主々義の基盤としての地方分権の本旨から尊重されるべきであるということから、憲法にそれに関する規定を設ける趣旨は認めるが、現行の首長の直接公選制のごとき画一的な制度は、かえつて地方自治の本旨に矛盾する場合もあるので、法律に委ねることが適当である。

都道府県を憲法上の地方公共団体と認めず、知事の任命制は現行憲法下でも可能であるとする論もあるが、この点も法律に譲つて明かにすべきである。

特別法の住民投票は、今日までの例では無用の制度であるが、たとえば新たに大阪に都制を布くというような場合は、現在の府民にとつては意味があろう。ということで、とくに法律で基準を定め、重要なものに限る趣旨である。

改正

憲法改正に、両院の三分の二多数決と、国民投票と二つを必要とするというのは、外国にも例の少い厳重な規定で、改正を困難にしているが、これは各国の立法例にみても、その何れか一つで十分である。とくに、今回の占領憲法改正に当つては、改正箇所も全面的にわたり、その内容も根本的に堀下げようとすると、この手続によることは、技術的にも大きな困難を伴うので、何か特別の方法によることが必要ではないかと考えられる。

その一つとしては、この憲法は、本質的に占領憲法であるから、独立国の憲法としては無効であるとし、廃棄宣言により、明治憲法に復原、または、新憲法を制定するという論であり、一つは、形式的には現行第九十六条により、第一段として九十六条そのものを改めて、国民投票制度を廃し、第二段として、内容の全面改正を行うという、いわば国民に白紙委任を求める方法である。

これについては、さらに慎重に研究し、世論の動向をも考慮して、最終的に決定すべきであろう。

憲法改正の発議については、従来も、その提案権が内閣にもあるか否かで問題になつていたが、試案では明確に内閣に発議権を認め、天皇についても、その憲法上の地位を考慮して、認証という形で、これに関与せしめることにした。

現在の規定は、制定当時修正のいきさつもあつて、憲法と条約との優先関係が明かでないために、今日までにも、しばしば「憲法違反の条約」という形で問題を起している。

とくに戦後国際間に、国連その他集団安全保障体制の進むに伴い、国際協力を内容とする条約と憲法との調整は、各国の間にも重大な問題として論ぜられ、最近制定または改正された憲法には仏・伊・西独の例に見るごとく、いずれもこれに関する規定を設けているにかんがみ、試案では、国際協力のために主権を制限し得ることを明かにした。なおこの条項は、さきの「国の安全と防衛」の章に入れるべきである。

〈附録二〉

憲法改正問題の概観

芦部信喜

はしがき

憲法は、これを政治的にみれば、「その憲法を採択する当時において働いている政治的・経済的・社会的な種々の力の平行四辺形の合成である」(K. C. Wheare, Modern Constitutions, p. 98)。したがって、その力の平行・妥協が確保されればされるだけ、憲法の安定性と永続性はつよい。ところが、日本国憲法は、「スキャップに指示され、スキャップに指導され、スキャップに強制されたものので、民主的に選出された議会は混成合唱隊として動いた」(Loewenstein, Reflections on the Value of Constitutiovs in Our Revolutionary Age, in Constitutions and Constitutional Trends since World War II, p. 205) のが事実であるという点で特異の類型に属し、そのことから当然に、「占領という政治的真空のなかで、しかも仮のミカドとしての外国の将軍のもとでは、……日本人のような適応性に富む国民にとつてすら、憲法の現実性というものはほとんど存在しない」という批判（Loewenstein, op. cit., p. 205）すら生れる。むろんこの批判は、一面的であるとの非難をまぬがれがたいが、しかし、日本国憲法の規範と現実の乖離と憲法改正問題の発端・展開は、かような憲法生誕の特殊的事情と占領およびその後の国際情勢の急変のうちに、その原因を見出すことができるのである。その意味で、規範と現実の調節を意図し国民的課題として生起する一般の憲法改正問題とは、その様相を著しく異にするものがあることを、注意しなければならない。このような観点から、以下、憲法改正論の発生・経過をたどり、保守勢力の発表した改正試案の特質を一瞥して、与えられた「憲法改正問題の概観」という課題*を果したいと思う。**

* 改正論の発生展開については、すでに、佐藤功「憲法改正論議の基本問題」日本国憲法十二講所収、「憲法改正論の背景」憲法解釈の諸問題所収、「憲法改正問題の発展とその論点」法律時報二九年七・八・九号、長谷川正安「憲法の変遷と改正論の展開」日本資本主義講座九巻所収、佐藤達夫「憲法改正論時間的議の経過」時の法令二九年五月上旬号などがあるので、ここでは一応資料的な考察に重点をおきたいが、制約と紙数の関係上、それも十分意をつくすことができない。右に掲記した諸論稿、芦部「日本国憲法改正の問題点」国家学会雑誌六八巻一号、法律時報「憲法改正問題の本質」特輯号（二七巻一号）、慶谷淑夫「憲法改正の話」（昭三〇・一〇月）、鈴木安蔵他「憲法改正の基本問題」（昭三一・一月）等を参照されたい。

** この小稿は、ジュリスト七三号所載のものに、**四**（全面改正論の進展）を附加し、**五**（むすび）に補正を施したものである。

一 改正論の発端

一 憲法改正問題の発生は、昭和二二年一〇月一七日極東委員会（FEC）が、憲法実施一年後二年以内にその実施状況を日本の国会をして再検討せしめるという政策を決定したことに端を発する。この決定が連合国総司令部に通達され（二二・三・七）、二三年司令部から「示唆というべきもの」をうけた国会では、憲法改正研究会設置の方針まで考えられ（六・二〇）、法務庁でも若干検討するところがあったが（八・一四朝日――新聞によれば、国会事務当局あるいは法務庁の非公式の指摘として、天皇制の存廃、国家公務員法改正にともなう団結権・団体交渉権の問題、両議院の構成の問題、内閣総理大臣指名手続の明確化と総辞職の場合についての規定増補の問題、国会の事後承認を条件とする暫定予算編成権を内閣にあたえる問題、最高裁規則と法律との関係問題、等があげられた。八・一六毎日）、一時改正論が新聞紙上をにぎわしたにすぎず、その後（二四年四―八月）学者私案が発表されたほか、具体的に政治の舞台に登場しないまま、二四年四月二〇日における吉田首相の「政府としては憲法改正の意思は全くない」という発言（衆院外務委）につづくFECの「憲法改正について新指令は出さぬ」旨の決定（四・三〇朝日、時事）によって、あっけなく姿を消してしまった。

かように、FECの指令に端を発した改正論であっただけに、この間の改正論は、FECでソ連、ニュージーランド等が終始日本国憲法――とくに天皇制――に反対を表明していたことなどから推して、もっぱらFECの内部事情にもとづくものであったといえる。したがって、そこでは天皇制の存廃がもっとも大きな比重をしめていたが、「議員たちが国民投票により天皇制問題を国民に問うことは政治的自殺行為にひとしい」（ハワード・ハンドルマンINS支局長、二三・八・四読売）状態であったし、憲法そのものが「世界のどこの例と比較しても最も新しく完成されていると自称しうる」（二三・五・三時事、東京）ものと考えられ、「ねばり強く守りぬくこと」がむしろ強調されていたので、唱えられた改正論も、その重点は、天皇制の存廃・天皇の国事行為・国会解散の要件あるいは内閣の選定方法などの原則的な条項よりも、「大体章条の形式的な部分の整備か、多く字句の修正が大部分」（二三・五・四読売）であった。それは、当時新聞（二三・五・四読売、八・二八時事）の指摘した問題点がつぎのような趣旨のものであったことによっても、うらづけられる。*

一、天皇——(1)天皇が内閣総理大臣の辞表を受理しえないのは不合理である。(2)天皇が形式的ではあるが、国会の解散を命ずるのは主権在民の精神に反する。

二、国民の権利義務——第一六条より第四〇条にある「何人も」は外国人を含むかどうか。

三、国会——(1)国会の二院制、両院の構成、参議院議員の任期など国情に適しているか（同旨八・二三朝日社説）。(2)参議院が現在のような構成と選挙法でゆく場合、解散のないのは妥当か。(3)第四五条三項の「十日」の期間は二十日ないし三十日に延長を必要とする。(4)第五九条二項は、小党分立の現状においては、衆議院優越の原則を制約する（同旨八・二八朝日社説）。(5)第五九条四項の「六十日」は三十日に短縮すること。

四、内閣――⑴内閣総理大臣として指名された者の辞退についての規定が欠けている。⑵政策行詰りなどにより総辞職規定を加える。⑶総理大臣の罷免権規定中「任意」とあるのは総理大臣の専権に過ぎないか。

五、財政――国会の事後承認を条件として暫定予算編成権を内閣に認め、予算の空白を防止すること。

六、最高法規――第九九条に内閣総理大臣を加える。

＊ なお、当時とりあげられた改正の主要問題点は、鈴木安蔵・憲法改正（昭二八）一二二―一二五頁に列記されているので、参照されたい。

しかも、一般に時期尚早論が支配的な論調で、「運用宜しきを得れば、憲法の成文に手をふれずに妙用決して不可能ではない」と考えられていたのである（二四・四・二三時事）。このことは、佐藤功教授が指摘するように、憲法改正が現実に日程にのぼるのは、憲法の基本原理そのものが「最も激しく論議されるであろう」時であることを意味していたといえる（前掲「憲法改正論議の基本問題」）。したがって、国民が「指令を忘却していた程に憲法の再検討に就いて無関心であったのが事実である」（二四・四・二三時事社説、参照、鈴木「憲法改正と国民意思」二四・五・一読売）当時、再検討の機会を与えられながら改正しなかった事実をもって、国民が、日本国憲法は暫定憲法であるとか、反対に「与えられた憲法」ではないとか、何らかの積極的意思表示をしたとみることはできない。

二　ただ、この期間における改正論議について逸することのできないことは、学会が改正意見として、公法研究会「憲法改正意見」（法律時報二四・四月号）、東大憲法研究会「憲法改正の諸問題」（法学協会雑誌二四・六月号＝六〇巻一号）という二つの成果を生み、また法律タイムズ（三巻四号）憲法改正特輯号（執筆者宮沢・高柳・清宮・金森・稲田・大西・杉村）が公表されたことである。しかも、たとえば横田「天皇制」（昭二四）においても、天皇の権能縮小の主張が共通になされていたように、鈴木（安）教授がみずから論点を指摘しつつ（二三・八・三〇毎日、二四・五・一読売）のちに述べた言葉をかりれば、「最近における取りあげ方に比してはるかに適切な問題提起がなされている」（憲法改正一二二頁）点において、今日もなお十分検討に値いするものをもっている。

二　改正論の進展

一　憲法改正問題は、朝鮮事変の勃発（二五・六・二五）それにつづく警察予備隊の新設という国際情勢を背景とし、とくに重要なことは、戦争放棄を命じたマッカーサー自身（ひいてはアメリカ側）の強い圧力（二五・七・八付予備隊創立に関する吉田首相あてのマ元帥書簡、日本再武装の必要にふれた二六・一・一のマ元帥の年頭声明参照）が直接の原因となり、いわゆる再軍備問題と関連し全く異った様相のもとに、再び現実性をもって現われてきた（たとえば参照、金森・兼子・佐々木「再軍備問題と憲法」

二六・一・一八―二一朝日、「再軍備と憲法改正」ジュリスト七号)。とくに、二六年九月の平和・安保両条約の調印を契機に、独立日本の課題としてクローズ・アップされ、一新聞は(二六・九・一九毎日)、(1)再軍備との関係、(2)国会と内閣との関係――議員立法に対する司令部のチェックに代る内閣の拒否権制の問題、(3)参議院制度の再検討――一部学識経験者を任用できる制度採用の可否、(4)天皇の地位の再認識――外交権の回復にともない世界の元首と同じ地位を与えるべきかどうかの問題を最重要として指摘し、解散権の要件、家族制度、地方自治における公選制の問題も論点としてとりあげた。のみならず、再軍備問題と関連して治安立法の構想が示され(二六・九・一六)、第一三国会において、行政協定(二七・二・二八調印)にともなう自衛力漸増=保安隊創設問題をめぐり戦力論争*が沸騰するにつれ、憲法の基本原理そのものが論議の対象となり、講和発効とともに、ようやく憲法改正を求める機運が緊迫した空気のうちに政界にも底流するに至った。**

* 鮫島真男「行政協定及び戦力に関する論議の紹介(一)」法曹時報四巻八号。なお予備隊の新設からMSA協定、防衛庁・三自衛隊の発足に至る防衛力の進展、防衛論議の展開については、防衛庁監修・防衛年鑑(昭和三〇年版)参照。

** すなわち「占領下にできた憲法だから独立国憲法としての態様を整える必要がある」として、自衛軍創設を押し出した改進党と、「なし崩し軍備」をなしつつ、「再軍備に対する根本的態度が決らぬ以上は他の箇所の改正如何をいう必要がなく全く白紙である」という情勢まちの自由党と、改正反対の革新政党という三つの傾向がみられるようになる。二七・四・一五、五・三朝日。

かくして、「憲法を守る努力」が強調されるなかに（二七・一・二〇、五・三朝日社説）、独立と憲法改正という形で、⑴第九条の戦争放棄、⑵解散権の所在、⑶参議院議員の任期性格、⑷条約と国内法の関係、⑸人権と社会の連帯性、⑹臨時国会の請求権、⑺憲法裁判所の新設、⑻天皇の地位の明確化などの論点が指摘されるに至った（三・二四東京、四・六毎日）。そうして、いわゆる天皇復興の気運（ジュリスト二七・一・一五号、五・一号、六・一号、一〇・一五号参照）と、安保条約・行政協定にもとづく諸法令（保安庁法・破防法・警察法改正・刑事特別法等）知事公選廃止をふくむ地方制度の根本的再検討（四・二三朝日、五・一毎日）などの国法体系の再編成を背景とし、再軍備問題を中心課題として争った独立後第一回の総選挙（一〇・一）後においては、たとえアメリカが、アメリカの国防計画と完全に歩調を合せた日本の再軍備を期待しつつも「日本は憲法九条を改正するかどうか、また改正の時期などについては、『一切日本の決めることとである』との見解を述べるばかりだ」（一〇・二四朝日）し、政府も「憲法は改正せず」との態度に一貫していたとしても、しかし、国際情勢（とくにアイゼンハワーの冷戦対策とダレス外交——一二・一七各紙夕刊）や世論の動向から判断すれば、改正が早晩表面化することは誰しもが否定できない事実となった。ここに憲法改正の是非をめぐり各人各様の論議が戦わされ、やがてＭＳＡ・自衛隊設置にともなう全面改正論への急転の道をたどるに至ることは、周知のとおりである。

二　この全面改正論の抬頭と展開をあとづける前に、右の時期における改正論の特質を回顧しておこう。

㈠　もっとも特徴的なことは、改正論が政治の舞台に登場してくるにともない、改正に対する世論の動向におよそつぎの三つの傾向が現われてきたことである。第一は、政府の自衛力漸増＝保安隊は違憲であるから、既成事実をうやむやのうちに作るようなやり方を改め、すみやかに国民の判断を問うべきであるという主張（例、世界二七・五月号所載の恒藤ほか十七氏の法学者の意見）で、これは、「憲法の崩壊過程」（有倉・法律時報二八・一月号）「憲法の変質過程」（佐藤・改造二七・七月号）すら問題とされるに至ったことと相まち（参照、鈴木「死文化した武装放棄と人権」日本週報二七・一〇・一五号）、日本憲法史上注目される事実である。第二は、憲法制定過程が明らかにされるにともなって生じたもので、日本国憲法は「押しつけられた憲法」だから、独立回復を期に自主的に民主憲法を制定すべきだという主張である（例、神川「マッカーサー憲法を改廃せよ」日本週報二七・一〇・一五号）。この論議は、「占領という政治的真空のなかで」（レーヴェンシュタイン）蓄積された占領に対する不満の現われと考えられるが、つぎの第三の主張と結びつき、やがて今日の全面改正論の論拠になる点で、とくに注目されねばならぬ。第三は、独立国として自衛戦力をもたぬのは世界に絶無であるから、正々堂々と再軍備すべきだという主張で（例、山田三良・二七・五・三毎日）、漸次世論の支持をうけてゆく推移（佐藤「憲法改正論の背景」参照）が注意をひく。

㈡　つぎにこの期間の改正論の特質は、全面改正論が現われ多くの論点も指摘されたが、再軍備問題に重点が集約されていたことである。*

＊ 当時の一新聞の行った世論調査に鮮明にあらわれている。二四・四・一六東京社説。参照、宮沢俊義「憲法改正と再軍備」世界二七・五月号、佐藤達夫「憲法改正の論点」警察文化二七・七月号——「戦力その他」所収。なお、再軍備にともなう改正意見・論点の指摘の主なるものとして、佐藤功「再軍備には憲法改正の要あり」東洋経済新報二七・一・五号、金森「憲法はいかに改正されるか」二七・一・一五産経、「日本の独立と再軍備」（座談会）二七・四・一二・一三産経、日本及日本人二八・一月号などあるが、とくに包括的な具体案を始めて提示した渡辺経済研究所憲法改正委員会の「憲法改正要点の私案」防衛と経済二八・二月号所載が注目された。

むろん、再軍備問題とならんで、この間提起された問題点も看過しえない。その主なものをつぎに概観しておこう。

(1) 参議院制度　独立前の改正論でも論点の一とされたが、二七年参議院の「行きすぎ」が問題とされる（六・二七朝日）時期に、全国区廃止・推薦制新設・議員の任期短縮を中心とする選挙制度調査会案が発表され（七・一九朝日夕刊）、さらに、二八年四月の選挙の結果全国区制の弊害が顕著となるにおよんで（四・二八読売参照）、一層大きく取りあげられ、職能代表制、推薦制、複選制、全国区存置連記投票制（もしくはブロック制）など多くの見解が公表された。*

＊ 牧野良三・二七・四・八朝日、中村哲「国会」、大西邦敏「参議院の性格」早政一〇三号、佐藤功「参議院制度はいかにあるべきか」時の法令二八・五月上旬号、「全国区制是か非か」（アンケート）二八・五・四毎日、蠟山政道「参議院と全国区の改革」法律時報二八・六月号、緑風会の改革案（二八・六・二六

毎日)、堀真琴「参議院改革をめぐる憲法改正論」解放二八・七月号、公法研究一〇号所載の土橋友四郎、佐藤立夫教授らの論文等参照。

(2) 解散権の所在　以前から改正を求める論議があり(二三・八・二九毎日、一一・二〇読売社説)、改正反対の陣営(左右両社会党)からも、参議院制度とともに論点として指摘されたが(二七・四・一五朝日)、ぬきうち解散(二七・八・二八)の前後を通じ学界に新たに論争がくりひろげられ、立法論が論議の対象になる大きな契機が作られた。

(3) 国民審査　第一回国民審査後の批判(例、末弘・法律時報二四・三月号、木村法相談二七・九・一九日経参照)にひきつづき、二七年一〇月の第二回国民審査を契機として「なんとも納得のいかない」(ジュリスト二二号巻頭言)制度という疑問が投ぜられるに至り、各種の改正意見が提示された。*それとともに最高裁の訴訟遅延(小林俊三・二七・一一・二八朝日、佐藤藤佐・真野毅「最高裁の訴訟遅延」ジュリスト三号)に端を発し、その機構改革問題が新しく登場してきたことが注目される。

* たとえば、法律時報二七・一〇月号がこの問題を全面的にとりあげた。なお、佐藤達夫「裁判官国民審査制をどうするか」自治春秋二七・一二月号(戦力その他所収)二七・九・二四毎日社説等参照。

(4) 知事公選制　地方制度調査会が発足して(二七・一二・一七)、府県制存廃の論議が活潑化し、知事公選制廃止論が有力な議題として登場してくる。*

* 杉村章三郎「地方制度の改革」二七・一一・一四朝日参照。公選制廃止反対の代表的見解として、鵜飼・田上・田中・俵・原・柳瀬「地方制度改革意見」自治研究二九巻三号。

(5) 議員立法　予算措置を必要とするもの、国会の権威に関するものなど、議員立法が国会内外の批判の的となり（二七・五・二三毎日、五・二六朝日）、予算と法律の調整をめぐる各種の意見が公表され（金森・二六・五・三毎日、ジュリスト一五号・一六号・公法研究一〇号等）、二八年暮から国会側で国会法改正問題の一環として検討されるに至る（後述）。

(6) 憲法改正国民投票法案　この時期における注目されてよい動きとして、選挙制度調査会の答申にもとづく自治庁の「日本国憲法改正国民投票法案」が、国会提出は見合せとなったけれども、作成・公表をみたこと（二八・一・二一朝日、二・一〇読売）をあげておくべきであろう。*

＊　法案の批判として、宮沢「憲法改正について」自治研究二九巻一号、小島「国民投票法案について」法律時報二五巻三号等参照。

㈢　以上のように、憲法改正は独立後最大の課題として現実性をもつ問題となったが、なおこの時期の改正論議から逸することのできないのは、学界において「憲法改正権の限界」という法理論が戦わされ、佐々木博士（「憲法改正問題の処理」改造二八・七月号）大石教授（公法研究八号所載論文）の無限界説に対し、圧倒的多数説が憲法の基本原則は改正の対象になりえないという限界説を展開したことである。むろん、何が改正権を拘束する程度にまで憲法の根本原理であるのか、具体的な限界がどこにあるのか、については学説の対立は著しいが（たとえば、国民の自由および権利のすべてを改正の限界とする説と人権尊重の原理を侵すような改正は許されぬと解する説、再軍備のための改正は法理上可能とする多数説と不可能とする鵜飼「憲法改正権の限界」世界二七・六月号、田畑忍・戦争と平和の政治学、あるいは憲法改正規定の改正は法理上可能とする多数説と不可能とする鵜飼「憲法改正権の限界点」二七・一二・四東大学生新聞)、この問題の解明こそ、今日の全面改正論の法理的検討にとってもっとも重要な意味をもつことはいうまでもない(後述)。

三　全面改正論の抬頭

一　以上のような経過をたどり、憲法施行六周年を迎えた二八年五月には、憲法改正に対する各方面の要望として伝えられたものは、前文用語の改正、内閣解散権の明示、皇室財産譲渡に対する制限の解除、戦争放棄に対する修正、二院制度のあり方に対する訂正(任期・選挙区)、衆議院の優越性と参議院不要論の調整、内閣総理大臣の権限緩和、裁判機構の整備すなわち憲法裁判所・特別裁判所の設置、地方団体の長の選挙制度の改正、住民投票制度の廃止(五・二読売)や、黙秘権の問題、議員立法と内閣の拒否権の問題(五・三産経)など多岐にわたり、規範と現実の矛盾は超党派的な憲法審議機関設置要求の声となり(五・三朝日、毎日社説)、従来論議の範囲をでなかった改正問題は、ようやく各党派間で本格的にとりあげられる段階に至ったのである。

さらにこの改正論議は、MSA交渉開始(七・一五)にはじまる自衛力増強=自衛隊設置という新たな問題と関連して、吉田・重光会談(九・二七)、第一七臨時国会における戦力(戦力なき軍隊)

論争、自由党内に憲法調査会設置の了解に達した吉田・鳩山会談（一一・一七）、ニクソン副大統領の「日本に軍備禁止を強いたことは米国政府の誤りであった」という趣旨の演説（一一・一九）等、情勢の急転に応じて現実性の度を加え、吉田首相が法制局長官に「憲法の問題点の研究と整理」を指示したと伝えられ（一一・二〇毎日）、一二月、内閣法制局の調査資料が報道されるに至った（一二・一三東京、一二・一四朝日）。これは、再軍備関係（九条二項削除の問題、統帥権の所在、徴兵義務明記の要否、宣戦布告、布告書に対する天皇の認証、戒厳の問題、軍法会議）、参議院制度（推薦制、任期短縮、権限縮小）、天皇の地位の明確化（元首化）の問題、緊急命令、国会の承認を要する条約の限定、予算の増額修正および予算をともなう議員立法の制限、内閣の法案拒否権、家族制度の問題、黙秘権、住民投票、裁判官国民審査の存続、知事公選制廃止、「現行憲法は占領治下で与えられた憲法であるから全面的に書き直すという意見の可否」等を内容とするもので、政府機関たる法制局の資料として報ぜられたものだけに注目された（佐藤功「憲法改正の問題点」時の法令二九・一月中旬号参照。なお中部日本新聞に元旦から五十余回にわたり連載された「日本憲法の分析」金森・大石・戒能・鵜飼・長谷川・小島諸氏の討論会参照）。

かような事態を背景として第一九国会は、MSA協定（三・八調印）、防衛庁設置法案および自衛隊法案をめぐり、それらと憲法九条との関係、自衛隊と海外派兵、自衛隊の指揮監督権（最高指揮権ないし統帥権）、文官優位・国防会議、自衛隊の行動と権限等々、二八年夏以来国民的課題としてとりあげられた(たとえば「世界」MSAと再軍備特輯二八・一〇月号参照)防衛論争はますます白熱化し、周知のとおり、ここに実質的な「再軍備宣言」と憲法との矛盾は、必然的に憲法改正による公的な規範化にみちびかざるをえないことが明らかとなる。この時期に、憲法は改正せずとの態度から微妙な一歩漸進を示した政府当局の発言(吉田首相三・九参予算委、緒方副総理三・二五衆外務委)と前後して、自由党「憲法調査会」が発足して全面改正論が打ちだされ(三・一二)、改進党も党大会決議(一・二〇)にもとづき調査会を発足せしめたのである(四・七)。一方、保守勢力の動きに呼応して、二八年八月発足した革新勢力の「憲法擁護国民連合」が結成され(二・一五)、憲法改正問題は、改正派と擁護派の対立のなかに、MSA協定にもとづく防衛二法律・秘密保護法・新警察法の施行(七・一——法律時報八月号参照)の前後を通じ、急速な展開を示したことは、ここに縷述の要をみないところである。

すなわち、自由党憲法調査会は、三月下旬から四月にかけ、憲法制定事情につき金森徳次郎・入江俊郎・佐藤達夫(なお七月七日松本烝治)の諸氏から詳細を聴取したのち、五月上旬五つの分科会——第一総論(性格、前文、戦争放棄、改正手続、最高法規)、第二天皇、第三国会、第四国民の権利義務、第五統治機構(内閣、司法、地方自治、財政)——を設け、つぎのような問題点を整理して再検討の対象とした(五・一〇朝日)。

一、前文——前文に盛られた思想はよいが、ポツダム宣言の受取証のような翻訳調に対し、内容全般を再検討する。

二、天皇――天皇の地位（一条）は象徴であるのか、元首であるのか。天皇の権能（四―七条）のうち、国政と国事の区別、天皇の関与すべき国事事項の整理。皇室典範（二条）、皇室財産（八、八八条）の規定を憲法中に含む必要有無。

三、戦争放棄――最も問題とされる点で九条に関し、自衛権、再軍備、統帥権、宣戦講和、戒厳、軍人の地位（文民規定、軍法会議等の問題を含む）、徴兵義務の諸問題など総合的、根本的に検討する。また九条一項は存続させ、二項の削除のみで足りるか、どうかなど。

四、国民の権利義務――一二、一三条に関し公共の福祉と基本的人権の関係を明確にする。このほか二一条の集会、結社、言論、出版の自由はこのままでよいか、二四条の家族制度、二八条の団結権、団体交渉権、刑訴法の面で三八条の黙秘権など。また九条との関連で国土防衛（兵役）義務の新設の要否。このほか反逆罪（反国家行為罪）の新設の要否。

五、国会――二院制度、特に参議院の在り方として衆議院との関係、推薦議員制、間接選挙制、議員任期の問題など（四二条―四六条）。このほか選挙制度（四七条）、両院が異なる議決をした場合（五九、六〇、六一条）、国政調査権（六二条）、衆議院解散権（七、六九条）、提案権ならびに予算を伴う議員立法の問題、政府の拒否権（七二、七三、八三―八六条）。

六、内閣――文民規定（六六条）、総理大臣の指名手続（六七条）、閣僚任免権（六八条）、内閣の権

限、行政権の明確化（六五条）、国会召集決定権、解散決定権、議案提出権など（七、五三、六九、七二条）、選挙後の特別国会における総辞職手続（七〇）。
七、司法――最高裁判所裁判官の国民審査（七九条）、最高裁判所の法令審査、憲法裁判所としての性格、違憲判決の効果などの問題（八一条）。
八、財政――予算を伴う議員立法の取扱い、継続費制度の明確化、皇室財産の扱いなど。また八九条の公金支出制限の緩和、九〇条の監察制の強化など。
九、地方自治――九三条の首長公選制、九五条の特別法住民投票、および九二条に関し地方制度全般についての問題。
一〇、憲法改正――九六条の発議および提案権の所在を明確にする。同条の国民投票制の扱い。このほか憲法改正手続に関し、現行憲法の無効を唱える議論の検討、および改正手続の根本的再検討、改正権の限界の問題について無制限に改正可能とする議論と基本的条項（民主主義、平和主義、基本的人権尊重の三点）に関するものは改正不可能とする議論を検討し、この問題を明確化する。
一一、最高法規――九八条について憲法と条約との優先関係を明白にする。
一二、その他――五四条の緊急事態およびその他非常の事態に対する措置を明らかにする。
ついで、五月下旬から九月下旬にかけて、つぎのように学者・実務家から個別的問題につき意見を聴取した。
宮沢俊義「日本国憲法の性格と改正論」(五・二四)、藤田嗣雄「憲法における軍事条項について」(五・二五)、矢部貞治「民主政治における国会のあり方について――現代国会制度の問題点」(五・二七)、大西邦敏「比較憲法の立場から見た国民の権利義務について」(五・二五)、同「各国憲法における内閣制度」(五・二八)、尾高朝雄「日本国憲法改正の問題点」(六・二八)、佐藤功「国会制度について――附現行憲法の問題点」(六・二九)、鈴木俊一「選挙制度並地方制度に関する問題」(七・二)、矢部貞治「議院内閣制度の検討」(六・二九)、高辻正己「内閣制度の問題点」(七・二)、田中耕太郎「新憲法と司法及教育」(六・二九)、小野清一郎「基本的人権と司法制度について」(六・三〇)、佐藤藤佐「司法制度について」(七・五)、野村吉三郎「戦争放棄と再軍備について」(七・五)、下村定「戦争放棄と再軍備の諸問題」(七・八)、神川彦松「国際政治の上より見た日本国憲法」(七・二)、菅原裕「日本国憲法無効論と明治憲法復原論」(七・八)、安岡正篤「憲法の根底をなすもの」(七・九)、河野一之「憲法における財政問題」(七・一)、佐藤基「会計検査について」(七・一)、杉村章三郎「地方制度について」(七・一)、鈴木俊一「憲法における地方自治の問題」(七・二)、平泉澄「日本歴史から見た天皇の地位」(六・三〇)、藤井甚太郎「明治維新史より見た天皇の地位」(六・三〇)、黒田覚「天皇論」(七・六)、三潴信吾「日本国憲法における天皇の地位と国体論」(七・六)、孫田秀春「憲法改正と労働基本権」(七・一)、河原畯一郎「自由権について」(七・七)、坂西志保「家族制度について」(七・七)、我妻栄「民事法より見たる憲法改正問題」(九・二二)。

このようにして、調査会は、現行憲法再検討をうちだした自由党新政策(九・一二)に呼応し、全面改正の方針を決定(九・一五・一六)、一〇月一八日「天皇」の項を除く改正試案を発表(一〇・一九各紙)、ついで一一月五日、「日本国憲法改正案要綱」の作成を完了し、これを「全面改正を要する理由」「要綱説明書」を付して公表したのである。(本書末尾資料参照)。

一方改進党憲法調査会も、三部会――第一前文・戦争放棄、第二天皇の地位・衆議院解散権・参議院制度・予算と立法、第三国民の基本権・司法制度・地方自治・憲法改正の手続――に分れて審議をつづけてきたが、七月一六日第二部会中間案を発表(七・一七各紙)、九月一三日憲法の全面改正の方針を決定して、「憲法改正の問題点」の概要を公表した(九・一四各紙、本書末尾資料参照)。

この間内閣法制局も、憲法改正が表面化した場合の準備として、予想される問題点を検討し、報道されたその論点も広汎におよんだが(七・五朝日)、その後諸外国憲法との比較研究の基本調査を終え、「いま直ちに改正せねばならぬ必要はないとの見解」に達したと報ぜられた(一〇・二六毎日)。

以上のような情勢に対応し、憲法擁護国民連合は、政治団体としての届出を行う方針を決定するとともに、両社・労農党の共同声明として「憲法改正反対の論点」を左のごとく世に訴えた(一一・三毎日)。

「現行憲法は武力によらない平和主義、基本的人権の尊重、民主主義の強化、国民主権の確立などの原則にもとづく。この原則に改正を加え一部に伝えられる再軍備と徴兵制の実現、天皇元首制の復活、議会政治の弱体化、地方自治の中央集権化などはわが国の政治を戦前の旧憲法時代に逆行させるものである。現憲法がマッカーサーの押しつけた憲法であると宣伝し、独立後は改正すべきであるという主張もあるが、当時政府の作成したいわゆる松本案が旧憲法と大差ない非民主的なものだつたために、司令部が拒否してポツダム宣言の原則にもとづく原案を提示したに過ぎない。議会も原案を修正して国民の責任において承認したもので司令部が審議に干渉した事実はない。」

かくして、憲法改正問題は、混迷をつづける政局の中心課題として、その帰趨は国民注目の的となったのである。

二　以上改憲問題の推移を概観したが、この改憲に関連する重要な問題として、たとえば第一に、憲法改正発案権の所在の問題が、国会法改正要綱案の試案（衆院事務局作成）の発表（二九・一・三朝日）により、とくにそれが内閣にも発案権ありとの政府の解釈（一・二九東京）を否定した点で注目され（佐藤達夫「国会法覚書」自治研究三〇巻二号、佐藤功「国会法改正の問題点」時の法令二月中旬号、田畑忍「憲法改正議事手続規定」――「憲法改正論」所収――）、また第二に、臨時国会召集要求権・議員立法および予算増額修正権について、国会法再検討の一環として論議の結果（二八・一二・一二、二九・二・一四、五・一二、七・二〇朝日参照）、議員ないし国会の権限に各種の制限を課した点で注意をひいたが（前掲佐藤氏らの論文参照）、とくに、最高裁の機構改革問題が、法制審議会と別に衆院法務委でとりあげられ（七・五毎日夕刊）、最高裁の改革案の発表と前後し、多くの学者・実務家の論議の対象になったことは、いろいろの意味で注目をひいた。*

＊　七・六―一一朝日、週刊朝日五・一六、八・八、八・二二号等。ジュリスト七〇―七二号参照。

なお、家族制度復活に反対する各層の動きも関心をひいたが（法制審議会の民法改正討議につき、一一・二二毎日）、首相の指示を契機にその是非の論が大きくなった知事公選制問題（一・二一読売）について、地方制度調査会の再開（七月）が大きな影響を与えるものとして注目される（七・四朝日、府県制に対する各界・各省の意見につき一一・一五朝日）。

四　全面改正論の進展

一　要するに全面改正論は、自衛隊の設置という新たな事情と、「押しつけられた」日本国憲法制定の経過が明らかとなったことに刺戟され、以上のようにして具体化の一歩をふみだしたのであるが、昭和二九年一一月二四日改進党と日本自由党が合同して日本民主党が結成され、ついで鳩山内閣が成立するとともに、さらに積極的な展開をみせる。

(1)　まず一二月一四日、民主党は、憲法改正に対する党内の思想を統一し、つぎのように、国会に超党派的な憲法審議会を設置することを提唱した（一二・一五毎日）。

「独立国家はすべて国民みずからの作った自主憲法をもち、外国製の憲法をいただいている国は世界のどこにも存在しない。……しかも現行憲法施行後の状況をみるとその不備はますます露呈され、とくに内閣制度の欠陥は独裁首相の出現を可能とし、また参議院制度や最高裁判所制度も改革を加える必要があることが明らかになつた。その他、天皇の地位、解散権の所在、国民の基本権の限界、地方制度、条約と法律の関係などについても不明なところが少くない。しかし憲法は国家の基本法であるから、……広く超党派の国民的立場に立つて行うべきものである。そこでこれが準備のため、わが党は国会のなかに法律をもつて専門学者、言論人、各界代表など全国民の世論を反映する代表を網らした憲法審議会を設置することを提唱する。……」

(2)　こうして急展開を予想された全面改正論は、しかし、昭和三〇年二月の総選挙により革新派が三分の一以上の議席を獲得した結果、一応表面的には後退を余儀なくさせられる。三月一八日開会された第二二特別国会の施政方針演説で、憲法問題が全く言及されていないのは、その証左であろう。ところが、五月二二日、民主・自由両党と緑風会をバックとして自主憲法の速かな実現を目ざす「自主憲法期成同盟」(理事長神川彦松氏)が生れ、さきに発足した「憲法擁護国民連合」に対抗して具体的運動の第一歩をしるしたこと(五・二二各紙)と呼応して、自由党との妥協に成功した民主党政府は、「憲法調査会設置法案」を提出し(七・六)、憲法改正に積極的な意思を表明するに至った。この調査会法案は、「日本国憲法に検討を加え、関係諸問題を調査審議し、その結果を内閣および内閣を通じて国会に報告する」ことを目的とし、委員五〇名(国会議員三〇名、学識経験者二〇名)以内で組織される総理大臣の諮問機関を内閣に設置しようとするものであったが(六・一五朝日)、両派社会党の議事妨害が成功して「国防会議法案」とともに流産した。しかし、この法案の審議に関連して披攊された次のような見解が、注目された。

(イ)すなわち、第一には、「元来占領中に押しつけられた憲法というものは、本質的に無効のものである。それが日本の国情に適しておるということはあり得ない」という鳩山首相の発言(三・二九参院予算委、ただし翌日取り消された)につづき、憲法調査会法案の趣旨説明に当った民主党の清瀬一郎氏が、「一、占領軍の日本国憲法制定はハーグ条約に反しているばかりでなく、大西洋憲章第二条にも反している。大西洋憲章が守られなかったことは大きな国際法違反である。一、国内法的にも旧憲法第七五条の『摂政をおいている期間は改正できない』とする趣旨に反する。つまり天皇も国民も自由意思を表明できない状態で旧憲法の改正手続がとられたことは違法である」旨主張し（七・四参院、七・五、七・七朝日）、「マッカーサー憲法*」検討の要を強調したことである。この清瀬理論は、宮沢・横田両教授が批判されているように（七・七朝日）、法律理論的には正当とは考えられないが、「占領中に押しつけられた憲法を改正するのは当然だ」という論理を強く前面におしだしてきた点で、注目されてよい。

* 「マッカーサー憲法」という表現を清瀬氏は取消したが、両派社会党は同氏の懲罰動議を提出した。片山哲・七・七朝日論壇、神川彦松・七・八朝日論壇、阿部真之助・七・九毎日土曜評論参照。

（ロ）第二に、三月末から七月にかけ随時「改正した方がよいと思う問題点」を指摘していた鳩山*首相が、七月二七日これを次のようにまとめて例示したことである。基本的人権と公共の福祉の関係、参議院のあり方と衆議院の解散権、憲法裁判所の問題、首相の権限、予算の増額修正の可否および公共の財産の使用について、地方自治の問題、自衛権の明白化（七・二八朝日夕刊）。

* 鮫島真男「第二二回国会における注目すべき法律論議の紹介(一)」法曹時報七巻七号参照。

(3) なお、この間七月一一日、さきに発足した「自主憲法期成同盟」と呼応して、民主・自由・緑風会などの保守派議員が「自主憲法期成議員同盟」（会長広瀬忠久）を結成し、「民族自主の精神を基礎として自主憲法の実現を達成しようと思い立った」との声明を発し（七・一二毎日）、ついで八月五日、広瀬試案として、現行憲法改正の問題点を発表したことは（八・六読売）、保守党のこの問題に対する態度を知る上に重要な意味をもつ（本書末尾資料参照）。

二　かように再び胎動を開始した全面改正論は、保守新党の結成によって、これまでにない具体性をおびた課題として前面におしだされた。第三次鳩山内閣が憲法改正を三大目標の一にかかげ（一一・二二各紙夕刊）、鳩山首相が第二三臨時国会の冒頭憲法改正を公約したのは（一二・二）、このような保守新党の積極的態度を示すものであった。

(1)「自由民主党憲法調査会」（会長山崎巖）の設置（一二・一二）は、このための第一の具体的措置である。一二月二〇日初会合の席上鳩山首相は激しい表現で改憲の必要性を強調して、要旨次のようにのべた。「米国の占領政策は日本を世界の三、四等国にする意図に基いていたようだ。現在の憲法をそのままにしておくのは日本再建を遅らせるものである。この大目的のため努力されたい」。ついで二三日、同調査会は、(イ)立案に当って佐藤達夫、藤田嗣雄、大西邦敏、矢部貞治の諸氏にとくに協力を求める。(ロ)今年末から明年一月にかけ憲法改正のための資料を整備する。(ハ)明年一月下旬に調査会の総会を開き全般的な討議を行った上、分科会を設け、専門的な審議に入る。(ニ)明年五月ごろまでに改正試案を作成、内閣に設置される憲法調査会にこれを提示して調整をはかる、などの方針を決定した（一二・二四朝日、三一・一・一四毎日）。

(2)　これに呼応して政府も、「政府・与党あげて速やかに改正の実現をはかり」（一・二四閣議における首相発言）、「日本国民が自らの手によって自らの憲法を作り上げる準備を進めるために」（一・三〇首相施政演説）、第二四通常国会にさきに流産したものと同じ内容の「憲法調査会法案」を上程（三一・二・一六）、一方憲法改正の発議に必要な三分の二の議席をとる体制[*]を固めるとともに、憲法改正啓発のための全国的な運動の第一歩をふみだした（一・七朝日、一・一九東京）。

これに対し社会党は、「政府の改正論は、天皇元首制、家族制度、再軍備徴兵制を復活し、基本的人権に制限を加えるものだ。憲法調査会はそれを強行するための前提であり、小選挙区制[*]は憲法改正の準備行動である。憲法調査会を設けるとしても、これは内閣ではなく国会内におき、自主的に検討すべきである」と攻撃し、憲法擁護国民連合と協力して改憲反対の国民運動を展開（二・一七、二・二三朝日）、さらに違憲裁判手続法案を国会に提出して逆攻勢にでたが（二・二〇毎日、三・七毎日夕刊）、政府・与党は、社会党の勢力を「減殺」しても占領憲法を自主的に改正する、という戦斗的な調子でこれに反論を加え、三月二八日自民党憲法調査会案とともに、「改正に対する党の態度」を公表した（三・二八日経、本書末尾資料参照）[**]。ここに改憲をめぐって、かつてない激しい対決が展開されるに至ったのである。

* 小選挙区強行の理由は、「二大政党対立の新事態に即応して、政局の安定と政界の刷新を図るため」というにあるが（首相・施政方針演説）、憲法改正と密接な関係があることは疑いない。三一・一・一朝日（鳩山・鈴木新春対談）、一・一二毎日参照。

** なお、自民党憲法調査会は、四月一七日の総会で、「憲法改正の理由と問題点」を総括的に検討し、全体を最終決定するに至らなかったが、憲法改正の問題点十ヵ章を了承した（十ヵ章につき四・一八毎日）。

三　鳩山内閣成立後の憲法改正問題の大まかな推移は、以上概観されたとおりであるが、これと関連しここに併せて考慮にいれなければならないのは、同内閣が誕生以来、終始防衛問題に対しても積極的な態度を持していることである。たとえば、憲法九条に関し、自衛権、それを行使する実力としての自衛隊および自衛戦争（自衛力行使権）の合憲性を認めた政府の統一解釈（二九・一二・二一毎日夕刊）、第二二特別国会における国防会議法案の提出や「祖国への侵略を防ぐため戦いうる必要最小限度の力」という戦力解釈（三〇・六・一六各紙夕刊）、自衛隊の増強（陸上一五万、海上三八〇隻・九万三千トン、航空四二〇機、八・七毎日）、防衛庁の国防省昇格など自衛力強化に関する砂田構想（八・一五各紙夕刊、九・一五毎日、一〇・一六毎日夕刊）、西太平洋における安全保障体制問題に関する日米会談（八月末）、それと前後するオネスト・ジョンの日本到着（八・二二）と基地拡張の強行、さらに第二四通常国会における、「誘導弾などの攻撃を防禦するのに他に手段がないと認められた場合に限り敵基地をたたくことは自衛の範囲に含まれる」との解釈（三一・二・二九各紙夕刊）や国防会議法案の提出（二・二九）などは、その大きな現われといってよい。

したがって、「無抵抗主義の憲法は平和を守る憲法ではない」という論理は、自衛隊の合憲性を認める*鳩山内閣に対し、再軍備のための憲法改正を理論的にはかならずしも要求しないが、――だから、憲法九条は「誤解を生じやすい条項であるから、改正する必要がある」というにとどまり

（三〇・七・五衆院における首相答弁、三一・三・九参院予算委における首相答弁）、現行憲法が「占領中にできたということが改正の主な理由である」（三一・二・二七衆院予算委における首相答弁）とされるが、——しかし、現在進展しつつある全面改正論の性格を明らかにするためには、かような主張の背後に、現行憲法が「日米間に双務的な防衛体制を整えるのに防げとなっている」こと、したがってアメリカ側も、「子供が大人になった以上、これに合せて洋服も大きくしなければならないことは当然だ」という意向をもっていること（三一・三・一九毎日）という事実が存在していることに注意を注ぐ必要がある。**

* もっとも、二九・一二・二一衆院予算委で、「自衛隊は違憲ではないが、疑いは確かにある」旨のべた鳩山首相は、三一・三・九参院予算委においても、「自衛隊は違憲の疑いがある」、しかし「自衛隊法が国会を通過したので違憲でないと解釈される」旨発言し、大きな波紋をなげた。

** 星野安三郎・憲法改正問題の発展とその政治的意図（鈴木安蔵他「憲法改正の基本問題」所収）参照。

なお、憲法改正と直接の関係はないが、地方自治制度、行政組織などの占領後の法体制が再検討されつつあること、とくに、最高裁判所構機改革という四年ごしの問題について、さきに出された弁護士会案、法務委員会案、最高裁案などを参照して作られた法務省試案（三一・二・一〇朝日）、およびこれに対する最高裁側の改革案（三・一朝日）、さらにそれらを折衷した法制審議会の上訴制度合同小委員会の最終的な結論が発表をみたことは（三・一三朝日、毎日）、改憲問題と関連して注目されよう*。

＊なお、ジュリスト七二号・一〇〇号、三一・三・八毎日等参照。

五　むすび——全面改正論に対する若干の考察

一　以上不完全ながら憲法改正問題の展開のあとをたどったが、最後に、このような過程を経て漸次具体化しつつある保守政党の改正案の内容と、改正の論拠および方法について、一言問題点を附加してむすびとしたい。

二　改正案の内容　保守政党の企図する改正案作成の基本資料は、旧自由党、旧改進党および自主憲法期成議員同盟の改正三試案であるが、これら試案に共通する内容上の特色は、天皇を元首とすること、自衛のため戦力を保持すること、基本権の制限を明確化し、それと関連して個人中心の家族生活を修正し、孝養・遵法・忠誠・国防の義務等を明定すること、さらに——旧自由党案に顕著にみられるとおり——行政権を拡大強化すること、および地方公共団体の長の公選制を修正することなど、いわば明治憲法への郷愁の色彩が一段とこいことである。むろん改正論者は、「明治憲法の復活を主張するものでは断じてない」といい、現行憲法のいわゆる三大原則を維持しつつ、「平和主義と民主主義を実現する方法の点で誤謬を犯している」現行憲法の行きすぎ——日本の弱体化という占領政策——を「是正」(?) するための改正だ、と主張する。しかも、この主張は第二次大戦後諸憲法の比較的考察によって正当づけられる帰結だ、と説く。

しかし、「再軍備論であり、天皇制強化論であり、個人主義否定論である」今日の全面改正論（宮沢「憲法のゆくえ」ジュリスト一〇〇号）が、果して現行憲法を是正するための改正といえるかどうか、また、そこで説かれる比較法が、果して同一表現の憲法規範も各国独特の歴史と環境に応じ異った結実をみせるという自明の事理を十分考慮にいれているかどうか、この点について批判の余地が多分にあることは、否定しがたい事実であろう。ここでは、その具体的批判は略さざるをえないが、*要するに、旧自由党試案について一新聞が指摘したとおり、「文字通り試案の程度で疑問もあれば不安もあって、とうてい改正案などといって国民の前に出せる代物ではない」（二九・一〇・二二日経）と評される。とくに、「緯度が三度上ればすべての法律が顚倒する」というパスカルの言葉には誇張があるにしても、改正論者の用いる比較法の論理は、場所・環境の相対性、法的および社会的な背景を深く究めない表面的・モザイク的な構造をもつものとして、より深い検討を迫るものが多い。**

* これについては、ジュリスト七三号・七四号および法律時報二七巻一号所載の各論文、青年法律家協会編著・憲法改正問答（昭三〇）、結城光太郎・自由党の日本国憲法改正案要綱の焦点（鈴木安蔵他著「憲法改正の基本問題」所収）等参照。

** 和田英夫・憲法における理論と価値（前掲「憲法改正の基本問題」所収）も、この点をとくに批判している。なお、旧自由党試案には、神川・大西・矢部・渡辺氏ら憲法研究会の意見が広汎にとり入れられている点で注目されるが、その意見は、憲法研究会編・日本国自主憲法試案（昭三〇・一月）という形で、公表されている。

三　全面改正の理由　日本国憲法が全面改正を要する第一の理由は、右に一言した現行憲法の内容上の「不備」「行きすぎ」であるが、その最も根本的な理由は、日本国憲法成立の手続ないし形式に求められている。たとえば、旧自由党憲法調査会の「改正案要綱説明書」が、「押しつけられた」憲法制定の事情と、「制定の手続において帝国憲法改正の形式をとったのは、事実に反し論理にもとり、しかも帝国憲法自体の明文にも違反している」という点をあげているのは、その例である。*

* なお、自主憲法期成議員同盟「憲法改正問題自由討議資料」、憲法研究会「日本国自主憲法試案」参照。

たしかに、現行憲法を「押しつけられた憲法」あるいは「マッカーサー憲法」とよぶことは、少くとも政治的な表現としては許されよう。また、「帝国憲法第七三条による改正としての手続形式を整えさせ」たことを「法的に無理をした」と評することも（自主憲法期成議員同盟資料）、法理としては正当であろう（宮沢・日本国憲法生誕の法理・日本国憲法コンメンタール附録所収参照）。しかし、「押しつけられた」という事実や、手続上「法的に無理をした」という事実は、憲法の全面改正を理由づける実質的根拠にはならない。憲法を改正すべきかどうかという問題は、憲法成立の形式よりも、憲法の内容そのものにかかっているからである。かような見地からいえば、ただ制定手続の点から現行憲法を「自由な、民主的な憲法とはいい得ない」と断じ、「自らが主体になって、自らの手で、しかも自らのために日本国憲法の改正を意図すること」は「民主主義の当然の要請」だ、という

（憲法研究会編・日本国自主憲法試案六頁）前に、むしろ、憲法制定当時の日本政府がわの「自主的な」明治憲法改正案の内容と、国民一般が「おしなべて好意的な反響」を示した憲法改正草案要綱およびマッカーサー草案（国家学会雑誌六八巻一・二号参照）の内容とが、日本国憲法の果した意義および運用の経験に徴しつつ、あらためて対比検討されてしかるべきであろう。

全面改正論者は、もっとも、押しつけられた憲法が民主的憲法たりえないことの論拠として、ボン基本法一四六条を援用し、占領中に成立した憲法は臨時憲法（Provisorium）であるから、「自主」憲法を制定すべきだと主張する。ボン基本法が国民の選挙にもとづかない議会評議会（Parlamentarischer Rat）により、占領軍の強い圧力のもとに、制定されたことは事実である。したがって、むろんドイツにおいても、基本法は非民主的方法で施行されたものと非難され（Nawiasky, Die Grundgedanken des Grundgesetzes für die Bundesrepublik Deutschland, 1950, S. 78ff. u. S.121）、また、その暫定性（基本法前文・一四六条）も強く論ぜられる（Ipsen, Über das Grundgesetz, 1950)。「しかし、この暫定性は過当に評価されてはならない」（Mangoldt, Das Bonner Grundgesetz, Kommentar, S. 33)。その趣旨は、全く、統一ドイツにおける憲法制定を基本法と無関係にすると、すなわち再び結合するドイツ国民が、基本法の形式にも内容にも拘束されずに、自由な選挙にもとづく統一ドイツの国民会議（Nationalversammlung）により、自由にその憲法を決定しうるようにすることに存する*のであって、ただ「占領中に制定された」という事実のみに由来するのではない。しかも、憲法という名称をさけて基本法と称したとしても、両者の間には、「純国法的には、本質的な差異または対立は全く存在しない」**し、最近においては、あたかもフランス第三共和制憲法（それは周知のように三つの憲法的法律から成っていた）と同じく、制定当時における暫定性の要請が著しく変化しつつある（久野勝・西独の再軍備と憲法改正・前掲「憲法改正の基本問題」所収参照）。

* Mangoldt, a. a. O., S. 668; Dennewitz, Aritikel 146, S. 2, in Kommentar zum Bonner Grundgesetz (1952); 和田英夫・前掲一九七―八頁。ドイツ統一問題について、なお Abendroth, Zwiespältiges Verfassungsrecht in Deutschland, Archiv d. öff. Rechts, Bd. 76, S. I ff.

** Giese, Grundgesetz für die Bundesrepublik Deutschland, S. 7; 阿部照哉「ドイツ連邦共和国基本法の法的性格」法学論叢六〇巻五号六八頁。

以上のように憲法成立史に「全面改正を要する理由」を求める論者のうち、最も極端なものは、現行憲法は占領中に作られた憲法であるから無効であると説く。* たしかに、一九四〇年フランスにおいては、憲法改正のため召集された国民議会が、ドイツによる武力の圧迫の下に、ペタン政府に憲法制定権を白紙委任する一九四〇年七月一〇日の憲法を制定し、これにもとづく数箇の憲法的法律によってヴィシー体制が生れたが、この一九四〇年以後の憲法改正の法律的有効性については、早くからJ・ラフェリエールやベルリアなどの無効説が主張されていた。しかし、その理由は、占領憲法である点に求められているのではなく、憲法制定権力の委任は許されぬという純法律理論的構成にもとづく。**

* 神川・国際政治の上より見た日本国憲法、菅原・日本国憲法無効論（ともに旧自由党憲法調査会特別資料）。昭三〇・三・二九、三・三〇、三・三一衆院予算委における鳩山首相答弁、昭三〇・七・四参院における清瀬一郎氏答弁参照。

** J. Laferrière, Le nouveau gouvernement de la France, 1942 ; ibid, Manuel de droit constitutionnel, p. 834 ; Berlia, La loi constitutionnelle du 10 juillet 1940, Rev. du dr. public, 1944, p. 50.

これに対し日本国憲法は、明治憲法七三条による改正という形式をとっている（したがって、改正の内容からいえば改正権の限界を逸脱したものといえる）が、それは全く形式的な法的継続性を保障するテクニークであるにすぎず、*法律的にいえば、ポツダム宣言の受諾により憲法制定権力を与えられた日本国民が、その代表者を通じ、討議と修正を経て制定した新憲法である。その意味において、明治憲法と現行憲法との間には法体系の断絶があると*考えるべきであるから、この断絶が「外からの事実の力」によるものだとはいえ、このようないわば法律上の革命によって新しくできた体制を、明治憲法七三条による改正の範疇に属しない改正だとか、明治憲法七五条の趣旨に反するとか、旧憲法秩序を基準として違法・無効とみること自体、すでに背理だというべきである。このことは、欧米諸国の多くの事例、近くはボン基本法が何人によってもその有効性を疑われないことを想起するまでもない。かりに終戦後の政府が「事実上の政府」であったとしても、それが「一定期間存続し安固たる地位を獲得すれば、『法律上の政府』に転化する」ということもできよう。**

＊ 宮沢・日本国憲法コンメンタール二五一六頁参照。もっとも、憲法の連続性をどうみるかについては、諸国においても異説がある。それは、別の機会に論ずる。なお、明治憲法七三条による改正という形式をとったいきさつにつき、連合国最高司令部民政局「日本の新憲法」（訳）国家学会雑誌六五巻一号一一・二四頁、国務省「極東委員会」（訳）レファレンス四八号九九頁、佐藤達夫「日本国憲法成立史」⒆ジュリスト一〇三号三九頁。

＊＊ Bryce, Studies in History and Jurisprudence ; Chapter : "The Nature of Sovereignty." この論理は、しかし、「事実上の政府」の正統性の問題について、より深い究明を要求しているので、それを論ずることは、別稿で果したい。

なお、現行憲法無効論の論拠として、「本国領土の全部または一部が外国軍隊の占領下にある場合には、いかなる改正の手続もこれに着手し、もしくは継続することはできない」と規定するフランス第四共和制憲法九四条が援用される＊が、この条文は、「一九四〇年七月一〇日、ドイツ軍の近接により国民議会の審議の自由が疑わしめられるようになったときヴィシーで起ったことが、再び生ずるのを阻止する目的をもつ」もので、しかもビュルドーが指摘しているように、一八七五年の法律〈第三共和制憲法のこと〉を制定した議会は、一八七一年一月二九日、すなわちパリが占領された翌日で、外国軍隊による領土の一部占領を受諾した条項を含む休戦協定が署名されたばかりであったときに、召集されたのだ、ということを注意する必要がある（Burdeau, Traité de science politique, t. III, p. 253）。いいかえれば、第九四条は、改正を一定期間禁止する旨の条項をおく諸国の憲法と同じく、いわば「一九四〇年の事件を回想して書かれた」（Pinto, Éléments de droit constitutionnel, 1952, p. 513) 政治的な希望を表明したものと解されるのであって、これを援用して、一般的に占領下の憲法の無効を論ずることは許されないと考えられる（和田英夫・前掲二〇〇頁も、これを指摘する）。

＊ なお、ハーグの陸戦法規慣例に関する条約四三条、大西洋憲章三条違反を理由とする現行憲法違法論については、横田教授の批判（三〇・七・七朝日）参照。

三 全面改正の方法 全面改正の方法について、とくに法理上の問題が少くないのは、旧自由党の「憲法改正案要綱説明書」がつぎのようにのべている点である。すなわち説明書は、憲法九六条の手続による全面改正は技術的に困難であるから特別の方法が必要である、として、いわく。

「その一つとしては、この憲法は、本質的に占領憲法であるから、独立国の憲法としては無効であるとし、廃棄宣言により、明治憲法に復原、または、新憲法を制定するという論であり、一つは、形式的には現行第九六条により第一段として九六条そのものを改めて、国民投票を廃し、第二段として、内容の全面改正を行うという、いわば国民に白紙委任を求める方法である。」

右の現行憲法無効論は、さきに一言したとおり正当ではないが、憲法九六条の改正規定の改正による方法についても、一段と法理的究明が要求されると思われる。日本国憲法は、諸国にみられるように＊（例、一九二〇年オーストリア憲法四四条、現行パラグァイ一二二条、ウルグァイ一一七条、ニカラグァ一六〇―一六二条、ヴェネゼエラ一二三条）、憲法の全部改正と一部改正を別々に規定していない。

したがって、むしろ、憲法九六条は――第二項の「天皇は国民の名でこの憲法と一体を成すものとして直ちにこれを公布する」という規定の趣旨からいっても――一部改正しか想定していない、と解する説も少くない（例、藤田嗣雄「憲法改正について」レファレンス四五号、昭和三一・二・二七衆院予算委における浅沼稲次郎氏質問参照）。この説によれば、現在の全面改正論は、日本国憲法が「臨時憲法」（Provisorium）であるかぎりにおいて、理論上可能である、とされる（藤田・前掲）。しかし、「憲法は箇別的規定の総体にすぎぬもので、全部はその部分と異なる性質のものではなく、全部を変更する権力は部分を変更する権力と当然に異なる権力であるとはいえない」（参照、清宮・権力分立制の研究二二七頁）と考えられるから、全部改正が憲法改正権の限界を破るものとして、日本国憲法のもとで否認されているとみるのは、正しくない（同旨、宮沢・日本国憲法コンメンタール七九七頁）。問題は、全部改正にしろ一部改正にしろ、もっぱら憲法改正案の内容そのものが憲法改正権の限界を逸脱するかどうか、にある。

ところが、さきにもふれたように（二節の二）、憲法改正手続規定の改正は法論理的に不能である、という有力な学説がある（清宮「憲法改正行為の限界」法律タイムズ三巻四号、同「憲法改正作用」野村教授記念公法政治論集所収、鵜飼「憲法改正の限界」世界二七・六月号等）。この説によれば、憲法改正機関の権限と手続の根本を規定する規範は、いわば根本規範に直接もとづくもので、法論理的に、憲法改正機関によって改正される普通の憲法規範よりも上位段階の規範であることを要する。その結果、憲法改正機関がおのれ自身の権能と手続の根本を自己規定することは、法論理的に不可能である。憲法改正手続規定が、かように、憲法改正権に優位する権威（憲法制定権力）に直接もとづくものとすれば、現行憲法九六条の定める国民投票制を廃止するような改正は、「改正規定の根拠を動かすことになるから、……不可能である」（清宮・前掲）ということになろう。したがって、かような見地からいえば、旧自由党案の「要綱説明書」にいう第二の方法すなわち国民投票制を廃止して国民に白紙委任を求める方法は、法律上は一種の革命といわねばならなくなる。

もちろん、この学説には異論も多い。憲法改正に限界はないという説はもとより、内容的限界をみとめる説も、憲法改正手続規定の改正は絶対に法律上許されないという点には批判的である（例、宮沢・憲法コンメンタール七八九頁）。諸国においても、学説は軌を一にしていない。** しかし、憲法改正の限界を、憲法制定権力と憲法改正権との関係を分析することによって理論構成するのが正しいとすれば（私はこれを正しいと考える）、少くとも、憲法改正手続によって、その根拠をなす憲法制定権力そのものの立脚する根本的な建前に変更を加えることが論理的に許されないことは、疑いない。この問題は、しかし、憲法学の根本につらなる問題であるから、ここではこれ以上立ちいらないが、ただ、全面改正論については、このような法理の検討も、より深くなされるべきだということが、指摘されねばならないであろう。

* 憲法の全部改正は、国民投票または特別の憲法会議によってのみ決定できる、と規定する立法例が多い。

Burdeau, Traité de science politique, t. Ⅲ, pp. 256—7 参照。

** ケーギは、憲法改正手続規定の改正不能説を紹介して、「最近の学説は、かような改正手続規範の法的拘束力を否認している」と断じているが（Kägi, Die Verfassung als rechtliche Grundordnung des Staates, 1945, S. 110）、たとえば、ビュルドーは、改正手続の改正は、「憲法の第1の権威を変更することである。そのような権力は主権者のみに属する」といい、憲法上改正禁止を明定している憲法の存在（ヴュルテンベルク＝バーデン八五条、バーデン九二条等ドイツ諸邦の憲法）を指摘して、J・ラフェリエールが、「改正手続を定める憲法が、国民投票により憲法制定権力を行使する国民自体から生れた場合」にかぎり、改正手続は憲法改正権に優位する権威によつて定められたものだということを理由に、改正手続の不能をのべている（Manuel de dorit constitutionnel, 1947, p. 293）点を批判している（Burdeau, op. cit., t. Ⅲ, p. 267）。なお、ペタン政府に憲法制定権を委任したフランスの一九四〇年七月の憲法改正のように、形式的には合法的であつても（この点にもさきに一言したように異説があるが）、旧憲法の基本的な理念を破壊する点では、実質的に革命とみるべき行為に合法性の外観を与えるにすぎない憲法改正を、リー・ボーやビュルドーは憲法欺瞞 fraude à la constitution の概念で説いているが（Liet-Veaux, La fraude à la constitution, Rev. du dr. publ., 1942, p. 116）、旧自由党案の要綱説明書にいう第二の方法は、ほぼこの概念にもあたるとみることができようか。

（一九五六年三月）

〔附録三〕

各党改正案対照表

自由党案

改進党案

緑風会案

広瀬試案

自由民主党案

自由党憲法調査会が「日本国憲法改正案要綱」に二九年一一月五日に発表した意見

改進党憲法調査会が「改進党憲法調査会報告書」に二九年一一月一〇日に発表した意見

緑風会政調会の改正問題点として三〇年五月二日朝日新聞に発表された意見

自主憲法期成議員同盟が「憲法改正問題自由討議資料（広瀬試案）」（三〇年八月五日）に発表した意見

自由民主党憲法調査会の「憲法改正に対する党の態度（要旨）」として三一年三月二八日に日本経済新聞に発表された意見を、同年四月一八日毎日新聞に発表されたものにより補訂を加えたもの

日本国憲法

前文

日本國民は、正當に選擧された國會における代表者を通じて行動し、われらとわれらの子孫のために、諸國民との協和による成果と、わが國全土にわたつて自由のもたらす惠澤を確保し、政府の行爲によつて再び戰爭の慘禍が起ることのないやうにすることを決意し、ここに主權が國民に存することを宣言し、この憲法を確定する。そもそも國政は、國民の嚴肅な信託によるものであつて、その權威は國民に由來し、その權力は國民の代表者がこれを行使し、その福利は國民がこれを享受する。これは人類普遍の原理であり、この憲法は、かかる原理に基くものである。われらは、これに反する一切の憲法、法令及び詔勅を排除する。

日本國民は、恒久の平和を念願し、人間相互の關係を支配する崇高な理想を深く自覺するのであつて、平和を愛する諸國民の公正と信義に信頼して、われらの安全と生存を保持しようと決意した。われらは、平和を維持し、專制と隷從、壓迫と偏狹を地上から永遠に除去しようと努めてゐる國際社會において、名譽ある地位を占めたいと思ふ。われらは、全世界の國民が、ひとしく恐怖と缺乏から免かれ、平和のうちに生存する權利を有することを確認する。

われらは、いづれの國家も、自國のことのみに專念して他國を無視してはならないのであつて、政治道德の法則は、普遍的なものであり、この法則に從ふことは、自國の主權を維持し、他國と對等關係に立たうとする各國の責務であると信ずる。

日本國民は、國家の名譽にかけ、全力をあげてこの崇高な理想と目的を達成することを誓ふ。

自由党案

一、わが国が独立回復により、わが国の歴史と伝統を尊重し、国民の意思に基き、自主的憲法を確立する旨を明にする。

二、国権は国民に発することを明かにし、国民の自由と権利を保障し、社会の安寧、民生の向上を念願して、民主主義、平和主義、人権尊重主義を基調とする国家の繁栄、福祉国家実現の理想を掲げる。

三、世界の平和、人類文化の発展に寄与せんとする国際協力の態度を宣明し、これが為には、一切の侵略戦争を放棄し、他国民の自由に干渉することなく、国際法規を遵守し、互恵平等を条件として国際的平和の組織並に集団防衛体制に参加する旨を明にする。

改進党案

各委員の意見は単に部分的な改正でなく全面的改正をなすべきであるというにある。従つて、前文についても民主主義、平和主義、国際協調主義等の現行憲法における進歩主義的原則はこれを把持しつつ自主独立の精神を骨格として全面的に書き改めるべきであるとする見解が圧倒的である。

現行憲法の前文は、その内容は消極的且つ隷属的であり、その用語も翻訳調で、生硬、難解なものが少くないから、これを積極的、且つ自主的な内容のものとし、その文体も国民情操に合致した平明なものとする。

緑風会案

広瀬試案

憲法改正の理由を闡明するとともに、次に述べる五つの基本観念に基き、その理想と性格を明かにするため、全部書き改めること。

一、わが国情に適合し、国民主権の原則に立脚する自主的民主憲法であること。

二、人権尊重を堅持し、国民の幸福と繁栄を確保する福祉憲法であること。

三、基本的人権に伴う基本的義務を明かにし、個人の尊厳とともに、社会連帯、国民協同の理念を基調とした祖国愛の実現を期する愛国憲法であること。

四、平和主義の理想の下、侵略戦争を放棄し、独立と安全を守る民主的な自衛軍を認める平和憲法であること。

五、国際信義を尊重するとともに、国際平和機構への参加を明かにした国際協調憲法であること。

自由民主党案

現憲法の基盤となっている民主主義、平和主義および基本的人権の原則は変更せず、これらの三原則のもとにわが国情に即し、独立日本にふさわしい自主憲法を完成する。

現憲法前文の基本精神は十分に尊重する。しかしその表現が冗漫、かつ翻訳調であり、内容も消極的なので、これを全面的に書改め、国民主権の宣言とともに個人の尊厳、基本的人権の保障、平和主義および国際協調主義の原則を明示し、文化の向上、国民の福祉、民族の繁栄に対する理想と決意を表明するなど積極的、自主的な精神を盛上げる。

日本國憲法

第一章　天皇

第一條　天皇は、日本國の象徴であり日本國民統合の象徴であつて、この地位は、主權の存する日本國民の總意に基く。

第二條　皇位は、世襲のものであつて、國會の議決した皇室典範の定めるところにより、これを繼承する。

第三條　天皇の國事に關するすべての行爲には、内閣の助言と承認を必要とし、内閣が、その責任を負ふ。

第四條　天皇は、この憲法の定める國事に關する行爲のみを行ひ、國政に關する權能を有しない。

天皇は、法律の定めるところにより、その國事に關する行爲を委任することができる。

第五條　皇室典範の定めるところにより攝政を置くときは、攝政は、天皇の名でその國事に關する行爲を行ふ。この場合には、前條第一項の規定を準用する。

第六條　天皇は、國會の指名に基いて、内閣總理大臣を任命する。

天皇は、内閣の指名に基いて、最高裁判所の長たる裁判官を任命する。

自由党案

一、天皇は日本国の元首であつて、国民の総意により国を代表するものとする。

二、天皇は内閣の進言に基いて憲法に定める行為を行い、内閣がその責任を負うものとする。

改進党案

一、天皇が国の元首的地位にあることを明かにする。

国を代表する元首のあることは国際法からも当然である。しかるに元首に関する規定がなく天皇が元首たるの地位に在るか否かも明らかでない。よつて何等かの表現を以て、天皇が元首的地位に在ることを明確化する必要がある。之と同時に若し「象徴」という表現を存続するとすれば「皇位」が民族の統合と伝統の象徴であるという趣意の表現を用うることとなる。但し上述の如き趣旨の改正は明治憲法の天皇主権に復元することを意図するものではない。

緑風会案

①天皇が元首であることの主旨を明らかにするかどうか

広瀬試案

一、天皇の地位

天皇が元首（首長）であることの趣旨を文言上明かにすること。

例えば

(1)天皇は、日本国の元首（または首長）であつて、この地位は、主権の存する日本国民の総意に基く。

(2)天皇は、日本国民統合の象徴であつて日本国を代表する。この地位は、主権の存する日本国民の総意に基く。

二、天皇の権能

(一)内閣の「助言と承認」を「進言」に改めること。

(二)天皇の国事行為については、すべて内閣総理大臣及び主任の国務大臣の副署を要し、内閣がその責任を負うものとすること。

自由民主党案

天皇の地位の明確化＝現憲法の「象徴」という表現は不明確である。（独立国である以上は、君主国たると共和国たるとを問わず、何人が国の代表者であるかを確認し得るのが常則であるにかかわらず、この点について、現行憲法の規定ははなはだ不明確である。）

左の國事に關する行爲を行ふ。
一　憲法改正、法律、政令及び條約を公布すること。
二　國會を召集すること。
三　衆議院を解散すること。
四　國會議員の總選擧の施行を公示すること。
五　國務大臣及び法律の定めるその他の官吏の任免並びに全權委任狀及び大使及び公使の信任狀を認證すること。
六　大赦、特赦、減刑、刑の執行の免除及び復權を認證すること。
七　榮典を授與すること。
八　批准書及び法律の定めるその他の外交文書を認證すること。
九　外國の大使及び公使を接受すること。
十　儀式を行ふこと。

第八條　皇室に財産を讓り渡し、又は皇室が、財産を讓り受け、若しくは賜與することは、國會の議決に基かなければならない。

の諸件を加える。
(1)予算の公布
(2)国会の停会
(3)宣戦講和の布告
(4)非常事態宣言及び緊急命令の公布
(5)条約の批准
(6)国務大臣及び法律の定めるその他の官吏の任命状、並びに大公使の信任状の授与
(7)外国大公使の信任状の受理
(8)大赦、特赦、減刑、刑の執行免除及び復権

四、皇室財産の規定は法律に譲る。

五、憲法改正の発議に天皇の認証を要するものとする。

附　皇室典範を改正し女子の天皇を認めるものとし、その場合その配偶者は一代限り皇族待遇とする。但しその場合摂政となることを得ないものとする。

内閣の助言と承認による天皇の国事に左の行為を追加する。
1大使公使の任免、及び信任状の授与
2大赦、特赦を行うこと
3条約の批准

現行第七条の「助言と承認」という辞句及び「国事行為」という称呼については何等かの改正を必要とすること、特に「助言と承認」については「承認」を削除すべしとする意見もあるが更に慎重に検討を加えることとする。

て次の点を加えるかどうか
（イ）国外に対して日本国を代表すること
（ロ）予算を公布すること
（ハ）国民投票の施行を公示すること

ついて左の諸点を考慮すること。
(1)「予算を公布すること」を加えること。
(2)官吏任免の認証制度を改めて、天皇は、内閣総理大臣の指名に基いて国務大臣を、内閣の指名に基いて大公使及び法律の定めるその他の公務員を任命し、また、それぞれ内閣総理大臣または内閣の申出に基いて、これらの公務員を罷免するものとすること。
(3)全権委任状及び大公使の信任状の認証制度を改めて、天皇は、その名において全権委任状及び信任状を授与するものとすること。
(4)批准書及び法律の定めるその他の外交文書の認証制度を改めて、天皇は、その名においてこれらの文書を発するものとすること。
(5)恩赦の認証制度を改めて、天皇は、大赦、特赦、減刑、刑の執行の免除及び復権を行うものとすること。
(6)「国民投票の施行を公示すること」を加えること。

(以上の欠陥を成している主因は「象徴」という表現の不明確とあいまつて、天皇の国事行為に関する第七条の列挙事項が一貫性を欠いているところにあると認められる。よつて)天皇が対外的に国を代表することを明らかにするため第七条の列記に「調整」を加え、現在、天皇認証となつている、条約の批准書、大公使の信任状その他外交に関する文書などは天皇の名義で発せられるよう改めることを考慮する。なお恩赦も栄典と同じく天皇が授与するようにする。

②　「象徴」の辞句を他の言葉に変えるよう検討する。「元首」とするかどうかはとくに慎重に検討する。

日本國憲法

第二章　戰爭の放棄

第九條　日本國民は、正義と秩序を基調とする國際平和を誠實に希求し、國權の發動たる戰爭と、武力による威嚇又は武力の行使は、國際紛爭を解決する手段としては、永久にこれを放棄する。

前項の目的を達するため、陸海空軍その他の戰力は、これを保持しない。國の交戰權は、これを認めない。

自由党案

一、「国の安全と防衛」に関する一章を設け、戦争放棄は前文中に宣明すると共に、国力に応じた最小限度の軍隊を設置し得るものとする。

二、軍の最高指揮権は内閣を代表して内閣総理大臣におき、国防会議、軍の編成、維持、戦争並に非常事態の宣言、軍事特別裁判所、軍人の政治不干与並に権利義務の特例等軍事に関する最小限の規定を設ける。

三、国防に協力する国民の義務並に戦争又は非常事態下における国民の権利義務の特例については別途考慮する。

改進党案

国家の独立を保持し、国民の生存と安全を守る為の武装は、人類文化の現段階においては、これを容認せざるを得ない。

わが改進党は現行憲法第九条の下においても自衛のためには戦力の保持を許されるという解釈をとっている。しかし反対説もある。国家の防衛という如き根本的な重要問題について、憲法上の論争の余地が存することは不適当である。故にわが国が平和を愛好する国家たる大原則はこれを堅持し、従つて国権の発動たる戦争と武力による威嚇又は武力の行使は国際紛争解決の手段としては永久にこれを放棄するということは明記するが国家の独立と自由を防衛するため陸海空軍その他の戦力を保持することが出来る旨の規定を設ける。

しかしながら、一方、国家の防衛が如何に必要であっても、その目的は、結局国民の生存、安全、幸福のためのものである※

緑風会案

①自衛のための戦力は保持することができること明らかにするよう第九条を改正するかどうか。

②第九条の関連規定として国際的平和機構または集団安全保障機構加入の場合における主権制限の承認に関する規定を設けるかどうか。

③統帥、編成、兵力量に関する規定を設けるかどうか。

④宣戦、戒厳の義務を規定するかどうか。

広瀬試案

一、章名を「国の防衛」と改めること。

二、戦争放棄規定（第九条）　第九条に規定する戦争放棄は、侵略戦争の放棄を意味するものであることを明かにするとともに、自衛のための戦力は保有することができるように改正すること。

三、軍隊に関する諸規定

（一）政治優先の原則の下に、軍の最高指揮命令権（統帥）に関する規定を設けること。

なお、軍の最高指揮命令権については、左のような問題がある。

(1)軍の最高指揮命令権が、国会または内閣（またはその代表者たる内閣総理大臣）にある旨を規定するかどうか。

(2)軍の最高指揮命令権行使に関する一定の場合については、国会が関与すべきものである旨を規定するかどうか。

(3)集団安全保障機構による国際的な防衛義務履行のためにする場合以外の海外派兵を禁止し、また

自由民主党案

①自衛の軍備＝独立国である以上、自力で国の安全を守るのは当然である。（この点に関し、現憲法第九条を見るとその第一項は「国際紛争を解決する手段として」の戦争及び武力の行使等を禁ずるものであり、自衛のためにする戦争及び武力の行使等を否定するものでないことは一般の通説であるのみならず、規定の文面上も明らかである。）しかし第二項の解釈に議論があるので「侵略戦争の放棄に関する現憲法第九条第一項の根本精神は堅持しつつ、自衛のために必要な最小限度の軍備は保持できる」よう改正する。

を犠牲にするほど尨大なものとなつたり、国民の社会生活上の自由を軍隊により又は軍事上の目的の名において極度に圧迫したり軍が政治に干渉したり、況や自衛軍がその目的を逸脱して他国の侵略に使われたりすることは厳にこれを戒めなければならない。そのためには、次の如き憲法上の規制を明文化する必要がある。

1軍閥の発生を予防するため、国会の軍に対する優位性を確保すること。従つて、

(イ)宣戦及び講和については、国会の議決を絶対の要件とする旨の規定を設けると同時に、宣戦の布告は、内閣の助言により、天皇が国民の名において行う旨の規定を設ける。(註、天皇が元首として、しかも主権者たる国民の名において行うという意味で、天皇の章の改正と相またなければならない。)

(ロ)軍の編成並に兵力量は法律で定める。

(ハ)最高指揮権―我国が自衛の為めの国防軍を有すると規定する場合に於て最高指揮権の所在、及び*

すべきやは、実に重大且つ深刻な問題である。軍の統率は必ずしも一般行政の観念中に入るべきものではない。国会を以て国権の最高機関とする戦後の我国家構成を保持する以上最高指揮権は憲法上は国会に属するものと観念し総理大臣は国会の授権に依り之を行使するものと規定し、その行使については国防会議の補佐に由らしむることを条件とし、なお司令官、総司令官等の任命については国会の承認を得ることを要すと為すが如きも一案である。

国防会議の構成及びその機構の詳細は無論法律に譲るべきであるが、その大綱的要件、例へば文民優位の為めの条件等は憲法中に一条を設くべきである。

2内乱等の場合に処するため戒厳の規定を置く必要がある。

(イ)戒厳の宣告は、国会の承認を必要とするものとする。

(ロ)戒厳の要件及び効力については、法律で定めるものとする。

(戒厳宣告は、国民の⊗

のであつて、極めて重大な問題であるから、その要件及び効力について少くともその大綱は、憲法に明記する方がよいという見解もある。)

3独立国の国民が自らの国を自分で守ることは当然であるから「日本国民は国家を防衛する義務を有する」旨の一ヶ条を国民の権利義務の章におく必要がある。

4軍は、国家防衛という重大な責務を有するものであるから、軍隊内の規律は特に厳重でなければならない。

(イ)軍人についての特例の規定…第三章二三五頁参照

(ロ)軍の規律を保持するため軍事特別裁判制度を設置すべきであると言う意見が多数である。

5軍を日本領土外に出動させることは禁止する旨の一カ条を置くかどうかについては問題があるけれども、日本が国際平和機構(国際連合又は将来の世界連邦など)に参加し、その憲章、協定又は国際協力義務(共同防衛義務の分担)から海外派兵ということは将来起り●

の問題は更に充分検討を加えるものとする。

6(国家主権の一部移譲…第十章二四五頁参照)

旨の規定を設けるかどうか。

(4)民主的制約を加える制度(例えば国防会議の如き)を規定するかどうか。

(三)軍事裁判所に関する規定を設けること。

四、宣戦及び非常事態

(一)宣戦に関する規定を設けること(の可否)

なお、次のような問題がある。

(1)自衛権の行使以外の武力行為を認めない制度のもとにおいて、「宣戦」があつていゝかどうか、少くとも戦争状態の存在することを確認する意味の「宣戦」があるものと考えるべきかどうか。

(2)宣戦があり得る場合に、それは国会の承認によつて内閣が決定するものとするか、国会自身が決定するものとするかどうか。

(3)宣戦の布告は、天皇がその名において行うものとするかどうか。

(二)非常事態(戒厳)に関する規定を設けること(の可否)

日本國憲法

第三章　國民の權利及び義務

第一〇條　日本國民たる要件は、法律でこれを定める。

第一一條　國民は、すべての基本的人權の享有を妨げられない。この憲法が國民に保障する基本的人權は、侵すことのできない永久の權利として、現在及び將來の國民に與へられる。

第一二條　この憲法が國民に保障する自由及び權利は、國民の不斷の努力によつて、これを保持しなければならない。又、國民は、これを濫用してはならないのであつて、常に公共の福祉のためにこれを利用する責任を負ふ。

第一三條　すべて國民は、個人として尊重される。生命、自由及び幸福追求に對する國民の權利については、公共の福祉に反しない限り、立法その他の國政の上で、最大の尊重を必要とする。

第一四條　すべて國民は、法の下に平等であつて、人種、信條、性別、社會的身分又は門地により、政治的、經濟的又は社會的關係において、差別されない。

華族その他の貴族の制度は、これを認めない。

榮譽、勳章その他の榮典の授與は、いかなる特權も伴はない。榮典の授與は、現にこれを有し、又は將來これを受ける者の一代に限り、その效力を有する。

第一五條　公務員を選定し、及びこれを罷免することは、國民固有の權利である。

すべて公務員は、全體の奉仕者であつて、一部の奉仕者ではない。

公務員の選擧については、成年者による普通選擧を保障する。

すべて選擧における投票の祕密は、これを侵してはならない。選擧人は、その選擇に關し公的にも私的にも責任を問はれない。

第一六條　何人も、損害の救濟、公務員の罷免、法律、命令又は規則の制定、廢止又は改正その他の事項に關し、平穩に請願する權利を有し、何人も、かかる請願をしたために

自由党案

一、基本的人権の主要なるものを各条に列記してその保障の原則を明示する。

二、各条に列記したものその他の基本的人権は社会の秩序を維持し、公共の福祉を増進するため法律を以て制限し得る旨を規定する。

三、全般に条文を簡略にし、殊に刑事手続に関する規定の一部を刑事訴訟法に譲る。

改進党案

一、基本的人権

憲法第三章中国民の権利の保障に関する規定は、個々の基本権についての条項では、殆んど無制限に不可侵のものとして規定し、しかも第一二条、一三条において抽象的にかかる基本権は「公共の福祉」のため行使すべく、また「公共の福祉」に反するものは立法上制約あるべき旨を定めておるが、憲法に総則を置くとすればかかる国民の権利全般に関する抽象的規定はこれを総則に集めるを可とするであろう。且今日迄の実績に徴すれば「公共の福祉」の名の下に基本的人権が不当に狭められる傾向がある。基本的人権の制約については左の如く個々の権利に関する条項において制限の要否と限界等を明瞭にすることが望ましいとの意見が有力である。

緑風会案

①基本的人権は絶対不可侵のものではなく公共福祉の必要によつては制約をうけるべきことを明らかにするかどうか。

広瀬試案

一、基本的人権の限界

およそ基本的人権は、不可侵のものではあるが、その種類により、或は社会正義、或は治安の維持、或は公共の福祉等の必要によつては、法律をもつて制限し得るものであることを明定すること。

二、各条に関する問題

国民の権利義務に関する各条は、雑然としていて分りにくくなつているので、これを整理統合して、秩序ある体裁にすべきである。

自由民主党案

基本的人権尊重の原則を堅持するのはもちろん、調査会はむしろこれに追加すべき保護規定に重点をおいている。ただ現行憲法の規定は雑然としているので条文の配置、表現を整理し、その実体に次のような問題点が指摘される。

①個々の基本権と「公共の福祉」との関係＝「公共の福祉」の名で基本権が不当に制約または乱用される面（特定人の権利の乱用が放置されて他人の基本権が侵害され、ひいては公共の福祉に障害を生ずる面）が少なくないので、この相互関係を明らかにすべきではないかということが問題となつている。

いかなる差別待遇も受けない。

第一七條　何人も、公務員の不法行爲により、損害を受けたときは、法律の定めるところにより、國又は公共團體に、その賠償を求めることができる。

第一八條　何人も、いかなる奴隷的拘束も受けない。又、犯罪に因る處罰の場合を除いては、その意に反する苦役に服させられない。

第一九條　思想及び良心の自由は、これを侵してはならない。

第二〇條　信教の自由は、何人に對してもこれを保障する。いかなる宗教團體も、國から特權を受け、又は政治上の權力を行使してはならない。

何人も、宗教上の行爲、祝典、儀式又は行事に參加することを強制されない。

國及びその機關は、宗教教育その他いかなる宗教的活動もしてはならない。

第二一條　集會、結社及び言論、出版その他一切の表現の自由は、これを保障する。

檢閲は、これをしてはならない。通信の祕密は、これを侵してはならない。

第二二條　何人も、公共の福祉に反しない限り、居住、移轉及び職業選擇の自由を有する。

何人も、外國に移住し、又は國籍を離脱する自由を侵されない。

第二三條　學問の自由は、これを保障する。

第二四條　婚姻は、兩性の合意のみに基いて成立し、夫婦が同等の權利を有することを基本として、相互の協力により、維持されなければならない。

配偶者の選擇、財産權、相續、住居の選定、離婚並びに婚姻及び家族に關するその他の事項に關しては、法律は、個人の尊嚴と兩性の本質的平等に立脚して、制定されなければならない。

四、旧来の封建的家族制度の復活は否定するが、夫婦親子を中心とする血族的共同体を保護尊重し、親の子に対する扶養および教育の義務、子の親に対する孝養の義務を規定すること。農地の相続につき家産制度を取入れる。

三、家族生活に関する規定

家族生活に関する二四条の規定は個人の尊厳と両性の本質的平等の二原理を掲げているのみである。

旧家族制度への復元は厳に警戒せねばならぬが、苟も家庭なるものが存在する以上家庭の平和、家族の幸福を目的とする第三の原理を表明すべきも

1言論出版その他一切の表現の自由は個人の名誉を毀損し、又は善良の風俗を紊乱しない限りこれを保障する。

㈠家族の問題　家族の問題については、われわれは固より復古的な考えをもつものではない。戸主権の復活、夫権の復活、長子相続制等、家族間の法律上の不平等などは絶対に考えない。しかし、社会生活の自然の単位として、家族相互間、殊に親子間において、和親結合の実を挙げさせ、なお、財産についても、その持

集会結社等は最も議論の種となる問題を含んでいるから、特別の研究を要すること。

---

②家族（家庭）の問題＝（個人の幸福、社会の安定のためには、協同体としての家族（家庭）の保護の必要が痛感されるにかかわらず現行憲法では、これに関する規定を欠いている。よって）個人の尊厳と両性の本質的平等の原則のもとに社会生活の自然的単位としての家族（家庭）の尊重擁護について規定の補充が考慮さ

日本國憲法

第二五條　すべて國民は、健康で文化的な最低限度の生活を營む權利を有する。

國は、すべての生活部面について、社會福祉、社會保障及び公衆衞生の向上及び增進に努めなければならない。

第二六條　すべて國民は、法律の定めるところにより、その能力に應じて、ひとしく教育を受ける權利を有する。

すべて國民は、法律の定めるところにより、その保護する子女に普通教育を受けさせる義務を負ふ。義務教育は、これを無償とする。

第二七條　すべて國民は、勤勞の權利を有し、義務を負ふ。

賃金、就業時間、休息その他の勤勞條件に關する基準は、法律でこれを定める。

自由党案

改進党案

のではなかろうか。

農地の相続に関しその細分化を防止する何等かの方法を考案すべしとの論が有力に唱えられた。

そのためには外国に行はれている家産制度につき調査を進めたい。

一

3教育に関する規定（二六条）においては「義務教育はこれを無償とし、国がこれを監督する責を負う」旨の如く規定する。

緑風会案

広瀬試案

続発展の途を講ずるような政治方針を、憲法上に規定することは必要であり、もつて家庭内の法的平等を堅持しつつ、家族の社会生活の自然の単位としての本質を発揮させるべきであろう。

外国の立法例にも、憲法において家族の国家的、社会的意義を明かにし、また家族の国家的保護を規定するものであるから、わが国においても、このような立法をなすことも考えられるであろう。

以上の趣旨により、現行第二四条第二項を「……法律は、個人の尊厳と両性の本質的平等とに立脚し、かつ家族の和親結合と、その持続発展とに資するように制定されなければならない。」と改め第一項とするべきではないか。

教育関係は、最も議論の種となる問題を含んでいるから、特別の研究を要すること。

自由民主党案

れる。なお、均分相続による農地の零細化防止のため、日本の実情に即した必要な改正を考慮するとの意見があるので、これについては従前の長子相続の復活とならない方法、たとえば諸外国の家産制度などが研究されている。

④母子老人の保護その他国民福祉の向上＝児童保護規定をさらに拡充して母子、老人などの保護規定を設ける。また科学、芸術の尊重、国費による英才教育など文化の向上国民福祉の増進についての規定の追加も考究する。

第二八條　勤勞者の團結する權利及び團體交渉その他の團體行動をする權利は、これを保障する

第二九條　財産權は、これを侵してはならない。
財産權の内容は、公共の福祉に適合するやうに、法律でこれを定める。
私有財産は、正當な補償の下に、これを公共のために用ひることができる。

第三〇條　國民は、法律の定めるところにより、納税の義務を負ふ。

第三一條　何人も、法律の定める手續によらなければ、その生命若しくは自由を奪はれ、又はその他の刑罰を科せられない。

第三二條　何人も、裁判所において裁判を受ける權利を奪はれない。

第三三條　何人も、現行犯として逮捕される場合を除いては、權限を有する司法官憲が發し、且つ理由となつてゐる犯罪を明示する令狀によらなければ、逮捕されない。

第三四條　何人も、理由を直ちに告げられ、且つ、直ちに辯護人に依賴する權利を與へられなければ、抑留又は拘禁されない。又、何人も、正當な理由がなければ、拘禁されず、要求があれば、その理由は、直ちに本人及びその辯護人の出席する公開の法廷で示されなければならない。

第三五條　何人も、その住居、書類及び所持品について、侵入、捜索及び押收を受けることのない權利は、第三十三條の場合を除いては、正當な理由に基いて發せられ、且つ捜索する場所及び押收する物を明示する令狀がなければ、侵されない。
捜索又は押收は、權限を有する司法官憲が發する各別の令狀により、これを行ふ。

第三六條　公務員による拷問及び殘虐な刑罰は、絶對にこれを禁ずる。

第三七條　すべて刑事事件においては、被告人は、公平な裁判所の迅速な公開裁判を受ける權利を有する。
刑事被告人は、すべての證人に對して審問する機會を充分に與へられ、又、公費で自己のために强制的手續により

一

2所有権其の他の財産権不可侵の大原則を明確に之を掲げるのは当然であるが、その行使については社会正義を無視してはならない旨をも明かにする必要がある。（現行第二九条第二項に於て財産権の内容について単に抽象的に公共の福祉と関連せしめているのは適当ではない。）

労働運動は、最も議論の種となる問題を含んでいるから、特別の研究を要すること。

㈡司法関係の人権の保護について
第三八条黙秘権、第三七条証人審問規定その他

---

③刑事手続に関する諸規定＝現在の規定の趣旨（公権力の乱用を防止し、もつて基本的人権を擁護）は尊重するが各規定については他の規定と均衡を失するものが少なくない。

日本國憲法

證人を求める權利を有する。
刑事被告人は、いかなる場合にも、資格を有する辯護人を依頼することができる。被告人が自らこれを依頼することができないときは、國でこれを附する。

第三八條 何人も、自己に不利益な供述を强要されない。
强制、拷問若しくは脅迫による自白又は不當に長く抑留若しくは拘禁された後の自白は、これを證據とすることができない。
何人も、自己に不利益な唯一の證據が本人の自白である場合には、有罪とされ、又は刑罰を科せられない。

第三九條 何人も、實行の時に適法であつた行爲又は既に無罪とされた行爲については、刑事上の責任を問はれない。又、同一の犯罪について、重ねて刑事上の責任を問はれない。

第四〇條 何人も、抑留又は拘禁された後、無罪の裁判を受けたときは、法律の定めるところにより、國にその補償を求めることができる。

（基本的義務の强化）

自由党案

自白の効力並に黙秘権行使の限界につき再検討する。

五、国防の義務、遵法の義務、国家に対する忠誠の義務を規定する。
六、国民の幸福な生活実現のため、国家経済の発展に協力する義務を規定する。

改進党案

二、国民の義務に関する規定
憲法第三章の規定は十八世紀、十九世紀の各国の憲法に類し、圧倒的に権利保障の規定が多く、国民の連帯的な義務に関

緑風会案

②基本的義務の強化として次のような規定を追加することの要否
（イ）国家的な義務として順法、誠実、国土防衛、兵役
（ロ）社会的な義務とし

広瀬試案

司法関係、人権保護規定等は、今日までの実績に徴するとき、共産党員の犯罪に利用され、検察及び裁判の公正な運営を阻害した実例に乏しくない。なお、司法関係の規定は、憲法として外国の立法例にも類を見ないほど詳細に失しているから、これらについても適当な改正を講ずるべきものと思われること。

三、基本的義務の明定
自然法の理論において、基本的人権に伴う基本的義務があることはいうまでもないが、最近世界人権宣言をはじめとし、諸外国の立法例に徴しても、

自由改進党案

なお、黙秘権については条文の表現が必ずしも的確でないので、裁判の適正を期しうるよう措置する。

⑤基本的義務に関する規定＝現憲法には国民の権利規定が多く、義務規定が少ないので社会連帯ないしは国民協同の理念にもとづく国民の基本的義務を明記することが必要

(権利保障の停止)

(軍人に関する規定)

如き条項を設けることを考慮する。

1国民はこの憲法を尊重し擁護する義務を負う。
(これに関連し九九条の天皇その他の憲法尊重の義務に関する規定は宣言規定に改めるか、または之を削除する。)

2国民は法律の定めるところにより国を防衛する義務を負う。

軍人に関しては、一般国民に保障される権利自由について、除外例を憲法上或る程度認めることは已むを得ない。

利を尊重する義務、社会の平和の維持、社会福祉の増進、経済及び文化の発展に寄与する義務等)

③戦乱、内乱、天災などに非常事態宣言を行い、その場合次の権利の保障を停止することができるようにするかどうか。

(イ)集会、結社、表現の自由および検閲の禁止と信書の不可侵

(ロ)居住移転の自由

(ハ)団体行動権

(ニ)財産権

(ホ)人身の自由

(ヘ)住居および所持の不可侵

人権保護は固より必要であるが、同時に基本的義務をも重視しなければ公共の福祉は確保されず、また国家は成立し得ない。然るに、現行憲法は、この点において必ずしも十分とはいえない。よって社会連帯及び国民協同の観念に基く国民の基本的義務を明定すること。

国家防衛の義務を規定すること。

軍構成員(軍人)に対して、その任務の遂行の確保及び軍紀の保持のため、基本的人権に関する特例規定を設けること。

義務、国土防衛の義務、国民福祉の向上のため、国民経済の発展に協力する義務などが考えられる。

日本國憲法

第四章　國　會

第四一條　國會は、國權の最高機關であつて、國の唯一の立法機關である。

第四二條　國會は、衆議院及び參議院の兩議院でこれを構成する。

第四三條　兩議院は、全國民を代表する選擧された議員でこれを組織する。

　兩議院の議員の定數は、法律でこれを定める。

第四四條　兩議院の議員及びその選擧人の資格は、法律でこれを定める。但し、人種、信條、性別、社會的身分、門地、教育、財產又は收入によつて差別してはならない。

第四五條　衆議院議員の任期は、四年とする。但し、衆議院解散の場合には、その期間滿了前に終了する。

第四六條　參議院議員の任期は、六年とし、三年ごとに議員の半數を改選する。

第四七條　選擧區、投票の方法その他兩議院の議員の選擧に關する事項は、法律でこれを定める。

第四八條　何人も、同時に兩議院の議員たることはできない。

第四九條　兩議院の議員は、法律の定めるところにより、國庫から相當額の歳費を受ける。

第五〇條　兩議院の議員は、法律の定める場合を除いては、國會の會期中逮捕されず、會期前に逮捕された議員は、その議院の要求があれば、會期中これを釋放しなければならない。

第五一條　兩議院の議員は、議院で行つた演說、討論又は表決について、院外で責任を問はれない。

自由党案

一、国会は国権の最高機関である旨の規定は改めるものとする。

二、国会議員は国民全部の代表であることを明かにする。

三、二院の異質性を明かにするため参議院は選挙された議員と推薦された議員とを以て組織することを考慮する。

五、参議院議員の任期を改める。

四、衆議院議員選挙につき小選挙区制の採用、参議院議員選挙につき間接選挙制の採用、全国選挙区制の廃止を考慮する。(公職選挙法改正と関連)

改進党案

二、参議院の構成及び権限

1全国制の廃止

2任期を四年とする(三年とする意見もある。この場合衆議院の任期も考慮する。)

3定員のうち、五十名乃至百名を推薦制とする。推薦母体については選挙制度調査会の答申案(註、右選挙制度調査会の答申案は委員を十二人とし、内閣総理大臣、衆議院議長、参議院議長及び最高裁判所長官、言論界代表二人、大学学長代表二人、労働界代表二人、実業界代表二人として衆議院において指名する)を一応参考するも尚検討を加える。

緑風会案

①参議院議員の選出方法に次の制度のいずれかを採用することの要否

(イ)任命議員制―全国区制廃止

(ロ)候補者推薦制

(ハ)間接選挙制

②参議院議員の任期を短縮することの可否

広瀬試案

一、国会の地位

　国会をもつて国権の最高機関とすることは、抑制均衡の主義をとり、三権分立の原則をとつている以上適当でない。しかし、主権は国民にあつて、国会は直接国民を代表する機関であるから、「国権の最高機関」の代りに「国民の直接代表機関」とすることが実際に即するとの考え方もあること。

二、参議院制度の改革

　参議院は、衆議院及び政府の行動に対し、常に中正穏健な批判をなし得る立場になければならない。従つて参議院は、衆議院とその性格を異にすることを要し、また参議院の政党化を防止することが、何よりも肝要であること。

　これがためには、その組織及び権限について考慮するところがなければならないこと。

(一)参議院の組織

(1)参議院と政党との関係をなくするため、参議院議員は、政党員たり得な

自由民主党案

①参議院の組織＝参議院の一部に直接公選以外の民主的な手続によつて、適材を参加させるような合理的組織を考究する。議員の任期短縮も検討する。

第五二條 國會の常會は、毎年一回これを召集する。

第五三條 内閣は、國會の臨時會の召集を決定することができる。いづれかの議院の總議員の四分の一以上の要求があれば、内閣は、その召集を決定しなければならない。

第五四條 衆議院が解散されたときは、解散の日から四十日以内に、衆議院議員の總選擧を行ひ、その選擧の日から三十日以内に、國會を召集しなければならない。

衆議院が解散されたときは、參議院は、同時に閉會となる。但し、内閣は、國に緊急の必要があるときは、參議院の緊急集會を求めることができる。

前項但書の緊急集會において採られた措置は、臨時のものであつて、次の國會開會の後十日以内に、衆議院の同意がない場合には、その效力を失ふ。

第五五條 兩議院は、各〻その議員の資格に關する爭訟を裁判する。但し、議員の議席を失はせるには、出席議員の三分の二以上の多數による議決を必要とする。

第五六條 兩議院は、各〻その總議員の三分の一以上の出席がなければ、議事を開き議決することができない。

兩議院の議事は、この憲法に特別の定のある場合を除いては、出席議員の過半數でこれを決し、可否同數のときは、議長の決するところによる。

一〇、通常国会の会期を短縮すると共に臨時国会召集要求の制約を厳にし、要求あれば一定期間内に召集しなければならないものとする。（国会法改正と関連）

七、解散の根拠を明かにすると共に必要な制約の方法を講ずるものとする。

九、不信任案提出につき提案の定数、表決に何等かの制約を加えるものとする。

三、国会の召集　召集については現行通りとするも臨時国会の召集については議員一定数以上の要求があれば「一定の期限内に」召集することを要するものとする。期限については国会法に委任する。

一、衆議院の解散

衆議院の解散については第七条及び第六九条の解釈をめぐつて各方面の議論が多く尚帰一を見ない状態であるが、部会に於ても左の如き両論があつて結論を今後の審議に保留することとした。

①衆議院の解散は現行憲法第六九条の如き場合及び衆議院が解散の決議

---

⑤解散権は内閣にあることを明記することの可否。

否）

(2)推薦制による議員を参議院に入れること（の可否）

(3)間接選挙等の方法をとること（の可否）

(4)全国区制を廃止すること。

(5)任期を短縮し、四年とすること。（二年毎に改選）

(6)議員の就任制限

参議院議員は国務大臣、政務官とならないこと（の可否）。

（二）参議院の権限

(1)総理大臣の指名には、参議院は関係しないこと（の可否）

(2)予算の増額修正及び予算を伴う議員立法は、参議院は発議しないこと

(3)参議院独自の権限をみとめること。

①裁判官弾劾裁判

②最高裁判所裁判官の任命に対する同意及び国民審査に代るものとしての事後審査

③会計検査官、人事官、国家公安委員等の任命に対する同意

日本國憲法

第五七條　兩議院の會議は、公開とする。但し、出席議員の三分の二以上の多數で議決したときは、秘密會を開くことができる。

兩議院は、各〻その會議の記錄を保存し、秘密會の記錄の中で特に秘密を要すると認められるもの以外は、これを公表し、且つ一般に頒布しなければならない。

出席議員の五分の一以上の要求があれば、各議員の表決は、これを會議錄に記載しなければならない。

第五八條　兩議院は、各〻その議長その他の役員を選任する。

兩議院は、各〻その會議その他の手續及び內部の規律に關する規則を定め、又、院內の秩序をみだした議員を懲罰することができる。但し、議員を除名するには、出席議員の三分の二以上の多數による議決を必要とする。

第五九條　法律案は、この憲法に特別の定のある場合を除いては、兩議院で可決したとき法律となる。

衆議院で可決し、參議院でこれと異なつた議決をした法律案は、衆議院で出席議員の三分の二以上の多數で再び可決したときは、法律となる。

前項の規定は、法律の定めるところにより、衆議院が、兩議院の協議會を開くことを妨げない。

參議院が、衆議院の可決した法律案を受け取つた後、國會休會中の期間を除いて六十日以內に、議決しないときは、衆議院は、參議院がその法律案を否決したものとみなすことができる。

第六〇條　豫算は、さきに衆議院に提出しなければならない。

豫算について、參議院で衆議院と異なつた議決をした場合に、法律の定めるところにより、兩議院の協議會を開いても意見が一致しないとき、又は參議院が、衆議院の可決した豫算を受け取つた後、國會休會中の期間を除いて三十日以內に、議決しないときは、衆議院の議決を國會の議決とする。

第六一條　條約の締結に必要な國會の承認については、前條第二項の規定を準用する。

自由党案

六、法律案等の自然成立の期間を短縮するものとする。

一一、戦争及び非常事態の宣言については国会の承認を要するものとする。

改進党案

を成立せしめた場合以外には内閣の専恣的判断によつて解散を行い得ないものとする。

②現行憲法第七条の如き場合によつても解散を行うことが出来るが、何等かの制約を加えることとする。（例えば同一首班内閣による一ヶ年以内の連続解散を行い得ないものとする等）

〔政府提案の予算に対する国会の増額修正の問題に関しては国会法の改正と併せてこれを検討する。〕

緑風会案

④予算案の増額修正については政府の同意を要することとし、政府が異議を述べた場合には三分の二以上の多数の賛成によらねばならないこととする可否。

広瀬試案

自由民主党案

②国会の権限の調整＝予算の増額修正権の抑制、（予算を伴う）議員立法の調整が問題である。

關して、證人の出頭及び證言竝びに記錄の提出を要求することができる。

第六三條　內閣總理大臣その他の國務大臣は、兩議院の一に議席を有すると有しないとにかかはらず、何時でも議案について發言するため議院に出席することができる。又、答辯又は說明のため出席を求められたときは、出席しなければならない。

第六四條　國會は、罷免の訴追を受けた裁判官を裁判するため、兩議院の議員で組織する彈劾裁判所を設ける。

彈劾に關する事項は、法律でこれを定める。

（停　會）

（議員立法）

第五章　內　閣

第六五條　行政權は、內閣に屬する。

第六六條　內閣は、法律の定めるところにより、その首長たる內閣總理大臣及びその他の國務大臣でこれを組織する。

內閣總理大臣その他の國務大臣は、文民でなければならない。

內閣は、行政權の行使について、國會に對し連帶して責任を負ふ。

第六七條　內閣總理大臣は、國會議員の中から國會の議決で、これを指名する。この指名は、他のすべての案件に先だつて、これを行ふ。

衆議院と參議院とが異なつた指名の議決をした場合に、法律の定めるところにより、兩議院の協議會を開いても意見が一致しないとき、又は衆議院が指名の議決をした後、

八、審議の慎重を期するため停会を認めるものとすると共に必要な制約の方法を講ずるものとする。

一、行政権はすべて内閣に属することを明確にする。

二、内閣総理大臣その他の国務大臣は、文民でなければならないという要件を、現役軍人を排除することに改める。

三、内閣の権限に、法律案並びに憲法改正発議案の提出及び国会の召集、衆議院の解散、国会の停会、並びに栄典

四、議員立法を制限する問題は国会法の問題として考慮する。

現行の規定によれば内閣総理大臣の権限が余りに強大に失するやに思われる点が少くない。これに何等かの制約を加えることを考慮する。

一、内閣総理大臣及び国務大臣の任命

5文民の規定を削除するを可とするの意見がある。

内閣総理大臣並に各国務大臣の大臣の名称はこれを適当な名称に改める旨

---

③予算を伴う法律案の議員発議を制限するかどうか。

①「大臣」などの名称を次のように改めることの要否（イ）甲案＝国務大臣を国務委員に、内閣総理大臣を国務委員長に、内閣を国務院に、乙案＝国務大臣を国務相に、内閣総理大臣を国務総理に、内閣等。丙案＝国務大臣を行政委員に、内閣総理大臣を行政委員長に、内閣を行政院に。

②内閣総理大臣は衆議院

一、内閣の地位

行政権は内閣に属し、憲法が定めるもの丶ほか、内閣から独立した行政機関は設けられないこと丶すること。

二、内閣の構成

総理大臣の指名は、衆議院において、衆議院議員中より指名し、この指名に基いて天皇が任命することとすること。

国務大臣の過半数を衆

日本國憲法

國會休會中の期間を除いて十日以内に、參議院が、指名の議決をしないときは、衆議院の議決を國會の議決とする。

第六八條　内閣總理大臣は、國務大臣を任命する。但し、その過半數は、國會議員の中から選ばれなければならない。

内閣總理大臣は、任意に國務大臣を罷免することができる。

第六九條　内閣は、衆議院で不信任の決議案を可決し、又は信任の決議案を否決したときは、十日以内に衆議院が解散されない限り、總辭職をしなければならない。

第七〇條　内閣總理大臣が缺けたとき、又は衆議院議員總選擧の後に初めて國會の召集があつたときは、内閣は、總辭職をしなければならない。

第七一條　前二條の場合には、内閣は、あらたに内閣總理大臣が任命されるまで引き續きその職務を行ふ。

第七二條　内閣總理大臣は、内閣を代表して議案を國會に提出し、一般國務及び外交關係について國會に報告し、並びに行政各部を指揮監督する。

第七三條　内閣は、他の一般行政事務の外、左の事務を行ふ。

一　法律を誠實に執行し、國務を總理すること。

二　外交關係を處理すること。

三　條約を締結すること。但し、事前に、時宜によつては事後に、國會の承認を經ることを必要とする。

四　法律の定める基準に從ひ、官吏に關する事務を掌理すること。

五　豫算を作成して國會に提出すること。

六　この憲法及び法律の規定を實施するために、政令を制定すること。但し、政令には、特にその法律の委任がある場合を除いては、罰則を設けることができない。

七　大赦、特赦、減刑、刑の執行の免除及び復權を決定すること。

第七四條　法律及び政令には、すべて主任の國務大臣が署名し、内閣總理大臣が連署することを必要とする。

第七五條　國務大臣は、その在任中、内閣總理大臣の同意がなければ、訴追されない。但し、これがため、訴追の權利は、害されない。

自由党案

授与の決定を加える。

四、内閣総理大臣は、内閣を代表して軍隊を指揮するものとする。

五、戦争及び非常事態の宣言、国防会議及び軍の編成維持の事務を内閣の権限とし、戦争及び非常事態の宣言には国会の承認を要するものとする。国会の召集が不可能な場合の措置につき考慮すること。

六、国会の閉会中、緊急事態に際して内閣は法律に代るべき命令を出し得ることゝする。この場合は次の国会においてその承認を求め、承認を得られなかつた場合は将来に向つて無効とするものとする。

七、条約の締結について、国会の承認を要するのは、立法権、予算審議権など国会の権限に関係のあるものその他政治的に重要な条約に限るものとする。

八、国務大臣の訴追されない特典については、内閣総理大臣を含み、訴追のうちには逮捕を含むことを明かにする。

改進党案

の意見がある。

1内閣総理大臣は国会議員の中から国会が指名し、天皇がこれを任命する。

2その他の国務大臣は内閣総理大臣の推薦により天皇これを任命する。その過半数は国会議員でなければならない。

3国務大臣に対する罷免の規定を削除する。

4内閣の連帯性を強化することを考慮すべしとする意見が多数である。

緑風会案

議員であり、その指名は衆議院のみの権限とすることの可否

③国務大臣の過半数は衆議院議員の中から選ばねばならないこととし、参議院議員からは国務大臣を出さないことを建前とすることの可否。

広瀬試案

議院議員とし、それ以外のものを国務大臣としようとするときは、衆議院の同意を要することゝし、総理大臣の指名に基き、天皇が任命することゝすること。

現役軍人は国務大臣たり得ないことゝすること。

四、総理大臣に対する国会の監督

総理大臣は、国防及び治安関係について最高の権限をもち、強大な実力を掌握するに至るのであるから、特に憲法上国会の機関として両院議員より成る常設監督機関を設けること（の可否）

三、内閣の権限

憲法改正案の提出権、法律案提出権、解散権、自衛軍関係事項、緊急事態関係事項（緊急命令、財政上の緊急処分、戒厳等）等を追加すること。

自由民主党案

（①国務大臣の罷免方法　内閣総理大臣が国務大臣を任意に罷免し得る現行制度の当否について、連帯責任制の問題と関連して検討されている。）

②解釈上の疑義の解消＝内閣の法律案提出権、解散権の法文を明確化する。

③国会の承認を要する条約の範囲＝立法、財政事項など国会の権限に属する内容をもつもの、政治的に重要なものは国会の承認を要する。また条約について国会と内閣の権限関係の明確化を検討する。

④臨時の応急措置＝国会閉会中に不時の災害などが発生し、国会の召集が不可能な場合、これに対処する立法、財政上の応急措置規定を考慮する。ただし、政府の専断を防止する方途を講ずる。

第六章　司　法

第七六條　すべて司法權は、最高裁判所及び法律の定めるところにより設置する下級裁判所に屬する。

特別裁判所は、これを設置することができない。行政機關は、終審として裁判を行ふことができない。

すべて裁判官は、その良心に從ひ獨立してその職權を行ひ、この憲法及び法律にのみ拘束される。


第七七條　最高裁判所は、訴訟に關する手續、辯護士、裁判所の内部規律及び司法事務處理に關する事項について、規則を定める權限を有する。

檢察官は、最高裁判所の定める規則に從はなければならない。

最高裁判所は、下級裁判所に關する規則を定める權限を、下級裁判所に委任することができる。

第七八條　裁判官は、裁判により、心身の故障のために職務を執ることができないと決定された場合を除いては、公の彈劾によらなければ罷免されない。裁判官の懲戒處分は、行政機關がこれを行ふことはできない。

第七九條　最高裁判所は、その長たる裁判官及び法律の定める員數のその他の裁判官でこれを構成し、その長たる裁判官以外の裁判官は、内閣でこれを任命する。
最高裁判所の裁判官の任命は、その任命後初めて行はれ

一することと及び大臣の呼称につき考慮する。

一、法律により特別裁判所を設置することができるものとする。

二、裁判官は良心に従い、独立してその職権を行い、憲法及び適法な法令にのみ拘束されるものとする。

三、最高裁判所の規則制定権は法律に反しない範囲に限定されるものとする。

五、最高裁判所の長官その他の裁判官の任命については、司法の独立性と裁判官の適格性を

二、最高裁判所の裁判官の国民審査
これに関する七九条の規定は外国にもほとんど類例を見ず、また実効もないからこれを廃止する。その代り現在内閣の責任

(二)　最高裁判所の機構改革　最高裁判所を、主として憲法問題その他小範囲の重要法律問題に係る具体的事件のみの終審裁判を行う部と、一般上告事件を審判する部との二部により構成するものとすること（の可否）

(三)国民審査　最高裁判所裁判官の国民審査は、国民と裁判官とのつながりを保たせる趣旨に出でるものであるが、実際問題としては、わが国情には適合しない。これは、むしろ参議院の審査に付することとし、その期間を七年に一回程度としたらよいと思われること。

---

①国民審査＝最高裁判事の国民審査は他国に例も少なく、多額の国費消費などが指摘されるのでこ

日本國憲法

る衆議院議員總選擧の際國民の審査に付し、その後十年を經過した後初めて行はれる衆議院議員總選擧の際更に審査に付し、その後も同樣とする。

前項の場合において、投票者の多數が裁判官の罷免を可とするときは、その裁判官は、罷免される。

審査に關する事項は、法律でこれを定める。

最高裁判所の裁判官は、法律の定める年齢に達した時に退官する。

最高裁判所の裁判官は、すべて定期に相當額の報酬を受ける。この報酬は、在任中、これを減額することができない。

第八〇條 下級裁判所の裁判官は、最高裁判所の指名した者の名簿によつて、内閣でこれを任命する。その裁判官は、任期を十年とし、再任されることができる。但し、法律の定める年齢に達した時には退官する。

下級裁判所の裁判官は、すべて定期に相當額の報酬を受ける。この報酬は、在任中、これを減額することができない。

第八一條 最高裁判所は、一切の法律、命令、規則又は處分が憲法に適合するかしないかを決定する權限を有する終審裁判所である。

第八二條 裁判の對審及び判決は、公開法廷でこれを行ふ。

裁判所が、裁判官の全員一致で、公の秩序又は善良の風俗を害する虞があると決した場合には、對審は、公開しないでこれを行ふことができる。但し、政治犯罪、出版に關する犯罪又はこの憲法第三章で保障する國民の權利が問題となつてゐる事件の對審は、常にこれを公開しなければならない。

第七章 財政

第八三條 國の財政を處理する權限は、國會の議決に基いて、これを行使しなければならない。

第八四條 あらたに租税を課し、又は現行の租税を變更するには、法律又は法律の定める條件によることを必要とする。

自由党案

確保する趣旨から詮衡委員会の如きものを設けて、その議を経ることゝする。

四、最高裁判所裁判官の国民審査制はこれを廃止するものとする。

六、いわゆる憲法裁判所を認めるものでないことを明確にし、違憲審査については国務行為、条約等につきその限界を明確にする。

七、裁判公開を停止し得ない場合を法律によるものとする。

一、予算の増額修正については、政府の同意がなければ発議できぬものとし、新たに国庫の

改進党案

のみで行うその任用方法については別に改正方を考究する。

一、違憲立法審査機構

現行最高裁判所の法令審査権の規定は不明確であり、その運営も所期の通りでないから、左の方法の何れかによつて現行制度を改正することを考究する。

（イ）最高裁判所とは別に、憲法裁判所を設置することゝし、現在の最高裁判所を第三審の司法裁判所とする。この場合には憲法裁判所の構成、権限等を憲法中に規定する必要がある。

（ロ）現行最高裁判所を、純粋の憲法裁判所に改め一般の上告事件は別途処理することとする。

（ハ）現行最高裁判所に違憲立法審査部門を設置する等の方法を講じることを考究する。

緑風会案

広瀬試案

（一）憲法裁判所　法律命令、または処分の合憲性そのものを独立の対象として裁判する、いわゆる憲法裁判所を設けること（の可否）

右については、次のような諸点を考慮すること。

(1)憲法裁判所は、政治的紛争の具に供される弊を伴うことがないかどうか。

(2)国民意思の直接代表機関である国会の多数者によつて合憲と判断された法律を、少数の裁判官が、終局的権威をもつて違憲なりと断定し得る制度は、民主主義の原理に遠ざかり、また、国会の権威を低くするものではないかどうか。

（四）対審の公開原則の緩和

現行憲法では、政治犯罪、出版に関する犯罪等につき、絶対公開主義をとつているが、裁判官の全員が一致した場合には、非公開とすることができるものとすること。

一、予算の増額及び予算を伴う議員立法

諸外国の実例は、憲法

自由民主党案

れに代る適切合理的な民主的方途を考究する。

②最高裁の違憲審査権＝最高裁に憲法裁判所的性格を与える点については慎重に検討する。

第八五條　國費を支出し、又は國が債務を負擔するには、國會の議決に基くことを必要とする。

第八六條　內閣は、毎會計年度の豫算を作成し、國會に提出して、その審議を受け議決を經なければならない。

第八七條　豫見し難い豫算の不足に充てるため、國會の議決に基いて豫備費を設け、內閣の責任でこれを支出することができる。

すべて豫備費の支出については、內閣は、事後に國會の承諾を得なければならない。

第八八條　すべて皇室財產は、國に屬する。すべて皇室の費用は、豫算に計上して國會の議決を經なければならない。

第八九條　公金その他の公の財產は、宗敎上の組織若しくは團體の使用、便益若しくは維持のため、又は公の支配に屬しない慈善、敎育若しくは博愛の事業に對し、これを支出し、又はその利用に供してはならない。

第九〇條　國の收入支出の決算は、すべて每年會計檢查院がこれを檢查し、內閣は、次の年度に、その檢查報告とともに、これを國會に提出しなければならない。

會計檢查院の組織及び權限は、法律でこれを定める。

第九一條　內閣は、國會及び國民に對し、定期に、少くとも每年一囘、國の財政狀況について報告しなければならない。

第八章　地方自治

第九二條　地方公共團體の組織及び運營に關する事項は、地方自治の本旨に基いて、法律でこれを定める。

第九三條　地方公共團體には、法律の定めるところにより、その議事機關として議會を設置する。

地方公共團體の長、その議會の議員及び法律の定めるその他の吏員は、その地方公共團體の住民が、直接これを選

[illegible]法については、その抑制につき考慮する。

二、予算不成立の場合の処置として、暫定予算の外に政府の責任支出を認め、事後に国会の承認を得るものとする。

三、予算も公布するものとする。

四、皇室財産並に皇室の費用の規定は削除する。

五、公金その他公の財産の民間団体又は事業に対する支出禁止の規定は削除する。

六、決算は国会に提出して両院の承諾を得なければならないものとする。但し戦時において軍機保持のため毎年決算を検査確定することが困難な場合の措置を考慮する。

七、非常事態において、国会召集の不能又は余裕のない場合、政府の責任支出を認め、事後に国会の承諾を求めるものとする。

一、地方公共団体の組織及び運営に関する事項のみならず、地方公共団体の種類も、地方自治の本旨に基いて、法律でこれを定めるもの

二、政府提案の予算に対する国会の増額修正の問題に関しては国会法の改正と併せてこれを検討する。

一、公の財産の支出又は利用の制限（八九條）は立法趣旨明確を欠きまた厳格にすぎるから、これを存置するとしても緩和する必要がある。

一、地方公共団体の長の公選制

現行の直接選挙制による首長主義は、その実情

[illegible]前記の事項に関し禁止しまたは制限する態度をとっているものが多いが、わが国ではほとんど無制限であるため、財政上種々の支障を来しているることは否み難い。ついては、憲法上これに対し、何らかの制限的規定を設けるべきであること。

例えば、政府に反対意見の発表の機会を与えることゝし、もし政府が反対しても両院を通過した場合は、再審議を求めさせ、両院の三分の二以上の賛成が得られなければ成立しないことゝするなど一案である。

二、予算不成立の場合の措置（暫定予算の廃止）

年度開始までに予算が成立しない場合には、政府は、新予算の成立に至るまで、一定の制約のもとに、前年度予算を施行し、国会の事後承諾を受けるべきものとすること。

(一)地方公共団体の範囲

憲法上の地方公共団体を、市町村等の基礎的団体に限定するかどうかにつき検討を加えること。

(三)地方行政及び財政に関

〔第六〇条参照〕

公益事業に対する公金支出などの制限撤廃＝民間事業に対する公の助成を必要とするわが国の実情から現憲法第八九条を削除する。

①直接公選制の緩和＝都道府県知事などについて

日本國憲法

擧する。

第九四條　地方公共團體は、その財産を管理し、事務を處理し、及び行政を執行する權能を有し、法律の範圍内で條例を制定することができる。

第九五條　一の地方公共團體のみに適用される特別法は、法律の定めるところにより、その地方公共團體の住民の投票においてその過半數の同意を得なければ、國會は、これを制定することができない。

第九章　改　正

第九六條　この憲法の改正は、各議院の總議員の三分の二以上の賛成で、國會が、これを發議し、國民に提案してその承認を經なければならない。この承認には、特別の國民投票又は國會の定める選擧の際行はれる投票において、その過半數の賛成を必要とする。

憲法改正について前項の承認を經たときは、天皇は、國民の名で、この憲法と一體を成すものとして、直ちにこれを公布する。

自由党案

とする。

二、地方公共団体の長を画一的に直接選挙する制度を改め、法律の定めるところによつて、選出することとする。法律の定めるその他の吏員の選挙に関する規定は、之を削除する。

三、一の地方公共団体のみに適用される特別法でその地方公共団体の住民の投票に付さなければならないものは、特に法律で定めるものに限定するものとする。

発議権を内閣にも認めることとし、特別多数決と国民投票はその何れかの一によることとする。現行憲法の改正手続に付ては、特別に考慮するものとする。

改進党案

に応じて間接選挙による議会主義にも依り得るものとすることを考慮する。

地方公共団体の法律の定める吏員の選挙制はこれを削除する。

二、一の地方公共団体のみに適用される特別法の住民投票

これに関する九五条の規定は、あらゆる国の特殊国情に由来するものであつて、わが国ではこの種立法は不要である。

現行の改正手続（九六条）は各議院の三分の二以上の賛成と、国民の承認との双方を必要とし、これ厳重に過ぎるから、これを凡そ左の如くにすることを考慮する。

「憲法改正は各議院の三分の二以上の賛成で成立するものとし、参議院の賛成が二分の一以上に止まるときは国民投票の過半数の賛成により成立せしめる」、但し現行憲法の改正は、国会の発議により現行の九六条の手続によつて行わなければなら

緑風会案

①政府にも改正案提出権のあることの明記することの要否

②国民投票制を再検討し衆参両院いずれも三分の二以上の賛成を得たときは国民投票を不要とし、いずれか一院の三分の二以上で他院の賛成が二分の一を越え三分の二に達しないときに國民投票にするかどうか。

広瀬試案

し、国政と地方自治との調整を期する範囲において国の立場を明かにすること。

㈡首長公選制の緩和

首長の選任については、直接選挙に限定されている現行制度の緩和をはかること。

改正の手続　衆参両院いずれかの一院における賛成者が二分の一を超え、三分の二に達しないときには、国民投票に付するものとし、両院いずれも三分の二以上の賛成を得たときは、国民投票を要しないものとすること。

自由民主党案

は直接公選以外の選出方法も定め得るよう規定を緩和することを研究する。

②住民投票制の合理化＝現憲法は一地方公共団体だけに適用される特別法に住民投票を要求しているが、この規定の緩和または根本的改正を考慮する。

①国民投票制の再検討＝この制度の緩和を検討する。

②内閣の改正提案権＝内閣が憲法改正原案を提案できるかどうかに解釈上の異説があるのでこれを明確にする。

第十章　最高法規

第九七條　この憲法が日本國民に保障する基本的人權は、人類の多年にわたる自由獲得の努力の成果であつて、これらの權利は、過去幾多の試錬に堪へ、現在及び將來の國民に對し、侵すことのできない永久の權利として信託されたものである。

第九八條　この憲法は、國の最高法規であつて、その條規に反する法律、命令、詔勅及び國務に關するその他の行爲の全部又は一部は、その效力を有しない。

日本國が締結した條約及び確立された國際法規は、これを誠實に遵守することを必要とする。

第九九條　天皇又は攝政及び國務大臣、國會議員、裁判官その他の公務員は、この憲法を尊重し擁護する義務を負ふ。

前文中に國際協力主義を明かにすると共に、国際協力による集団安全保障体制への加入と、国際条約と主権制限の関係を明定する。

現行の最高法規に関する第十章の規定は連邦国家であるアメリカ憲法に由来するもので、他の条章と重複し、また趣旨不明の点もあり憲法審議のときから不要又は修正を唱えられたものであるが、これを改廃する必要がある。

世界恒久平和実現のためには従来の絶対主権国家概念は止揚されつつあるという、諸国の実例にかんがみ人類福祉の増進に寄与するための高次な国際機構に対し国家主権の一部移譲を容認する旨の規定を憲法に置くことを可とする見解もある。

第九条と一連の関係規定として、国際的平和機構または集団安全保障機構加入の場合における相互主義の原則に基く主権制限の承認に関する規定を設けること。

条約と憲法との関係＝条約と憲法との優越関係について解釈上の疑義や学説の対立があるのでその明確化を考慮する。

註──
1　各党改正案の番号は、原本の番号をそのまま用いた。
2　自由民主党の欄（一）内は、毎日新聞（三一・四・一八）に発表されたものにより追加したもの

追　補

朝日新聞（四月二十九日朝刊）に掲載された自由民主党憲法調査会の改正案によれば、本書の「各党改正案対照表」の自由民主党案に対して、次の二つの事項が新たに加えられている。

二三二頁最下段

〔国民の権利および義務〕

国民の福祉に関する諸規定＝勤労の権利、最低生活、社会保障等に関する現行の諸規定は抽象的で不明確でもあるので、これをさらに具体化する。

二四一頁最下段

〔司法〕

裁判所規則と法律との関係＝裁判所規則と法律との効力関係については、従来解釈上の疑義があるので、裁判所規則は法律の範囲内において制定されるべきものとするなど、その関係の明確化を研究する。

憲法改正　　　　　　ジュリスト選書

昭和31年5月1日　初版第1刷印刷
昭和31年5月3日　初版第1刷発行

著作者　代表　宮沢俊義

東京都千代田区神田神保町2の17
発行者　江草四郎

東京都江東区深川常盤町2の8
印刷者　栗田真太郎

東京都千代田区神田神保町2の17
発行所　株式会社　有斐閣
電話九段（33）0323，0344
振替口座東京370番

印刷・東光整版印刷株式会社　製本・稲村製本所
Printed in Japan

憲法改正（オンデマンド版）
ジュリスト選書

2013年1月25日　発行

著　者　宮沢　俊義・兼子　一・鈴木　竹雄
　　　　田中　二郎・団藤　重光・我妻　栄

発行者　江草　貞治

発行所　株式会社 有斐閣
〒101-0051　東京都千代田区神田神保町2-17
TEL　03(3264)1314(編集)　03(3265)6811(営業)
URL　http://www.yuhikaku.co.jp/

印刷・製本　株式会社 デジタルパブリッシングサービス
URL　http://www.d-pub.co.jp/

AG942

ISBN4-641-91386-2　Printed in Japan